Napoleon Hill

As Regras de Ouro

Os textos perdidos

Tradução:
Mayã Guimarães

CITADEL
Grupo Editorial

2021

Título original: *The Golden Rules*

As Regras de ouro
2ª edição: Agosto 2021

Autor:
Napoleon Hill

Tradução:
Mayã Guimarães

Preparação de texto:
Iracy Borges

Revisão:
Lindsay Viola

Projeto gráfico:
Jéssica Wendy

DADOS INTERNACIONAIS DE CATALOGAÇÃO NA PUBLICAÇÃO (CIP)

Hill, Napoleon.
As regras de ouro : os textos perdidos / Napoleon Hill. ; tradução de Mayã Guimarães. – São Paulo : Citadel, 2021.
208 p.

ISBN: 978-65-87885-57-5

Título original: The Golden rules: the lost writings

1. Autoajuda 2. Sucesso 3. Desenvolvimento pessoal 4. Motivação I. Título II. Guimarães, Mayã

21-1727 CDD - 158.1

Angélica Ilacqua - Bibliotecária - CRB-8/7057

Produção editorial e distribuição:

CITADEL
Grupo Editorial

contato@citadel.com.br
www.citadel.com.br

Sumário

Prefácio

Talvez você seja como milhões em todo o mundo que leram os textos de Napoleon Hill e lucraram com eles. Não importa se você é um seguidor dos ensinamentos de Hill, ou se este é seu primeiro contato com o que ele escreveu, vai se beneficiar com essas lições sobre o potencial humano.

As fontes do livro que você tem em mãos são as revistas que Hill publicou há mais de oitenta anos. As revistas *Hill's Golden Rule* e *Hill's Magazine* foram publicadas durante vários anos antes do primeiro livro dele aparecer. As lições de Hill são uma série de textos sobre o potencial humano.

As montanhas remotas do condado de Wise, na Virgínia, onde Hill nasceu em 1883, não ofereciam muitas oportunidades para um menino criado na pobreza. A mãe de Hill morreu quando ele tinha dez anos, e o pai se casou novamente um ano depois. A madrasta de Napoleon seria uma bênção para o garoto. Martha era uma jovem viúva instruída, filha de um médico; ela gostava do enteado cheio de energia, que estava sempre metido em travessuras. A mais nova moradora da casa dos Hill era uma fonte de incentivo que durou toda a vida. Mais tarde, Hill agradeceu à madrasta de um jeito parecido ao de Abraham

Lincoln, décimo sexto presidente dos Estados Unidos, quando agradeceu à dele certa vez, comentando que "tudo o que sou ou pretendo ser devo a essa querida mulher". Aos treze anos, com a ajuda da madrasta, ele trocou uma pistola por uma máquina de escrever. Uma série de artigos estimularia a intenção de se dedicar à carreira de escritor.

Depois de dois anos de ensino médio, Hill matriculou-se em uma escola de negócios e, após concluir o curso, foi tentar um emprego com Rufus Ayres, que havia sido Procurador-Geral do Estado da Virgínia, oficial da Confederação e candidato ao Senado dos Estados Unidos. O general Ayres era banqueiro, e tinha negócios nas áreas de madeira e mineração de carvão, e Hill o considerava o homem mais rico das montanhas. De repente, porém, atraído pela profissão de advogado, Hill convenceu o irmão Vivian a se inscrever com ele na Georgetown Law School; Napoleon trabalharia como escritor e pagaria os estudos dos dois. Eles se matricularam na Georgetown Law School e Vivian se formou, mas Napoleon mudou de rumo e conseguiu um emprego na *Bob Taylor's Magazine*, que pertencia a Robert Taylor, senador dos Estados Unidos pelo Tennessee. As matérias atribuídas a Hill eram histórias de sucesso, incluindo uma história sobre o crescimento de Mobile, Alabama, como um porto marítimo. Quando o incumbiram de entrevistar Andrew Carnegie em sua mansão de 45 cômodos, o que havia sido programado para ser uma breve entrevista durou três dias. Carnegie o desafiou a entrevistar indivíduos bem-sucedidos e desenvolver uma filosofia do sucesso, que Hill posteriormente ensinaria a outras pessoas. A vida de Hill mudou drasticamente, e sua aventura ao longo da vida foi entrevistar pessoas de sucesso para estudar por que algumas alcançam o sucesso e tantas outras, não.

Apresentado por Carnegie, o jovem Hill entrou em contato com Henry Ford, Thomas Edison, George Eastman, John D. Rockefeller e outras pessoas notáveis da época. Hill desenvolveu o estudo sobre os princípios do sucesso durante vinte anos, com mais de quinhentas entrevistas feitas antes de ele escrever seu primeiro livro.

Hill viveu até os 87 anos e durante sua vida desenvolveu a filosofia dos princípios de sucesso que são tão relevantes hoje quanto eram quando ele estudou e registrou suas descobertas em livros. O primeiro título de Hill foi, na verdade, um conjunto de oito volumes chamado *A lei do sucesso*, publicado em 1928. Ele começou a receber *royalties* de US$ 2.000 a US$ 3.000 por mês, um valor tão alto, que ele comprou um Rolls-Royce para ir visitar Guest River nas montanhas do condado de Wise, na Virgínia, onde passou a infância.

Hill escreveu um pequeno livro chamado *A escada para o triunfo*, e embora ele parecesse ser uma versão condensada de *A lei do sucesso*, tinha uma seção chamada "Quarenta ideias únicas" para ganhar dinheiro. Entre as ideias de Hill estavam postos de gasolina automáticos nos quais os motoristas poderiam encher o próprio tanque de dia ou de noite, fechaduras sem chave para evitar roubos e máquinas de bebidas feitas de vegetais e servidas frescas, sem conservantes. Lembre-se, isso foi em 1930; a lista demonstra que Hill era um grande visionário.

Outra evidência de que Hill era um visionário é que grande parte do material de desenvolvimento pessoal escrito nos dias atuais é simplesmente uma versão do que Hill estudou e escreveu há mais de oitenta anos.

Hoje, há vários livros que foram escritos sobre a lei da atração como se esse fosse algum princípio recém-descoberto que garantirá o sucesso. Hill escreveu sobre esse "novo" princípio na edição de março de 1919 da revista *Hill's Golden Rule*, que foi inserida na Lição 4: A lei da retaliação.

Hoje há montanhas de livros que fazem referência a uma ou mais obras de Hill, e ele é mais citado que qualquer outro escritor ou palestrante motivacional que já viveu, sem dúvida. Essas citações são usadas às vezes literalmente, outras, com pequenas alterações.

Em 1937, Hill escreveu seu livro mais famoso, *Quem pensa enriquece – edição oficial e original de 1937*, com três edições esgotadas no ano em que foi publicado, vendido a US$ 2,50 o exemplar no meio da Grande Depressão, tudo isso sem a publicidade que existe hoje. *Quem pensa enriquece* vendeu mais de sessenta milhões de cópias no mundo todo, e ainda vende cerca de um milhão de cópias por ano. Hoje, um *best-seller* geralmente é classificado como um livro com cem mil cópias vendidas. Todos os livros de Hill venderam mais do que isso, e a maioria ultrapassou um milhão de cópias. Os livros mais populares hoje têm de um a dois anos do que os editores chamam de prazo de validade (período em que o livro está em demanda e permanece no estoque das principais livrarias). *O manuscrito original* de Hill está em publicação contínua desde 1928, *Quem pensa enriquece* desde 1937, *A chave para a prosperidade* desde 1945, *Atitude mental positiva* desde 1960, *Como enriquecer com paz de espírito* desde 1967 e *Você pode realizar seus próprios milagres* desde 1971. Em outras palavras, os livros de Hill são mais vendidos hoje do que quando ele os escreveu.

– Don M. Green

Diretor executivo | The Napoleon Hill Foundation

Apresentação

Como aproveitar ao máximo a leitura deste livro

Se você ler os livros de Napoleon Hill, vai encontrar vários que incluem um trecho do *best-seller Atitude mental positiva*, que ele escreveu com W. Clement Stone. Este artigo é denominado "Como aproveitar ao máximo a leitura deste livro".

Para acessar os poderes que estão disponíveis para você, é preciso estar preparado para aceitar e usar as informações.

Os princípios de sucesso vão funcionar para você como funcionaram para outras pessoas, independentemente de educação, hereditariedade ou ambiente. Mas se você acreditar que está destinado ao fracasso e que nada pode fazer para evitá-lo, certamente vai fracassar. A escolha é sua, só sua.

A fórmula R2A2

A fórmula vai lhe dizer não só o que fazer, mas como fazer. Se você estiver pronto para usar a fórmula R2A2, aqui estão dois princípios que garantirão seu sucesso:

1. Reconhecer, Relacionar, Assimilar e Aplicar princípios, técnicas e métodos a partir do que você vê, ouve, lê e experimenta que podem lhe ajudar a atingir seus objetivos. Isso é chamado de fórmula R2A2. O R2 é de Reconhecer e Relacionar e A2 para Assimilar e Aplicar.
2. Direcionar seus pensamentos, controlar suas emoções e ordenar seu destino, motivando-se deliberadamente para alcançar objetivos valiosos.

Ao usar a fórmula, mantenha em mente seus objetivos e esteja pronto para aceitar informações úteis.

Durante a leitura, concentre-se nos significados e palavras que se relacionam com seus objetivos. Leia o material como se o autor estivesse escrevendo para você.

À medida que lê, sublinhe as frases ou os trechos que considera importantes para você.

Anote nas margens quando for inspirado com ideias que tenham um benefício potencial.

Ao ler e aplicar a fórmula R2A2, lembre-se de que a segunda parte da fórmula é o ponto mais importante. Muitas pessoas passam apressadas por essa parte e tendem a evitá-la. São as mesmas pessoas que criam desculpas ou culpam os outros por sua falta de sucesso. Sem ação, o material não vale o preço que você paga por qualquer livro de desenvolvimento pessoal.

– The Napoleon Hill Foundation

LIÇÃO 1

Sua hereditariedade social e física

Seus pais fizeram você como é, fisicamente, mas VOCÊ pode se fazer como QUISER mentalmente.

Você e todos os outros seres humanos são a soma total de apenas duas coisas: hereditariedade e ambiente.

Você herdou certas tendências e características físicas de seus pais. Você herdou outras tendências e características de seus avós e dos pais deles.

O tamanho do corpo, a cor do cabelo e dos olhos, a textura da pele e outras características físicas desse tipo foram herdadas; consequentemente, grande parte da sua constituição física resulta de causas que estão além do seu controle.

Essas características que foram "desejadas" para você, por meio da herança física, são, na maioria, características que você não pode alterar muito substancialmente.

No entanto, é diferente quando se fala das características que você desenvolveu a partir de seu ambiente, ou por meio do que é chamado de herança social. Você pode alterar essas características por vontade própria. É claro que as que desenvolveu antes dos dez anos de idade serão muito mais difíceis de modificar ou mudar, pois estão profundamente enraizadas, e você vai descobrir que é difícil exercer força de vontade suficiente para mudá-las.

Cada impressão sensorial que chega à sua mente desde o momento de seu nascimento, por qualquer um dos cinco sentidos, constitui uma parte de sua herança social. As canções que você canta ou ouve cantarem, os poemas que lê, os livros que estuda, os sermões que ouve, as paisagens que vê, tudo é parte de sua herança social.

Provavelmente, as fontes de onde você absorve as tendências mais influentes na constituição de sua personalidade são estas: primeiro, o que aprende em casa, com seus pais; segundo, o que aprende na igreja ou escola dominical; terceiro, o que aprende em escolas públicas ou privadas; quarto, jornais diários, revistas mensais e outras leituras.

Suas crenças em relação a todos os assuntos resultam das impressões sensoriais que alcançaram sua mente. Sua crença pode ser falsa ou correta, de acordo com a solidez ou falta dela, da verdade ou falsidade daquelas impressões sensoriais.

Se, no processo de escolarização, você foi ensinado a pensar com precisão; como superar preconceitos de raça, credo, política e assim por diante; como garantir que nada além de fatos se imprimam em sua mente; como manter afastadas todas as impressões sensoriais que não surgem da verdade, você é um afortunado, pois vai ser capaz de extrair do ambiente o que pode usar da maneira mais proveitosa para desenvolver sua personalidade até ser exatamente aquilo que deseja ser.

A herança física é algo que não pode ser alterado em grande medida, mas a herança social pode ser mudada, e as novas ideias podem ser postas no lugar das antigas, a verdade pode ser posta no lugar da falsidade.

Um corpo pequeno e fraco pode ser feito para abrigar uma grande mente quando se direciona adequadamente essa mente por meio da herança social. Por sua vez, um corpo físico forte pode abrigar uma mente fraca e inativa pela mesma causa. A mente é a soma total de todas as impressões sensoriais que alcançaram o cérebro; portanto, dá para ver como é importante que essas impressões sensoriais surjam da verdade, como é importante que sejam mantidas livres de preconceito, ódio e coisas do gênero.

A mente se assemelha a um campo fértil. Produz uma safra de acordo com a natureza da semente que é posta nela, por meio das impressões sensoriais que chegam a ela.

Ao controlar quatro fontes, o ideal de uma nação ou de um povo pode ser completamente mudado, ou até substituído por um novo ideal, em uma geração. Essas quatro fontes são: (1) os ensinamentos familiares, (2) os ensinamentos da igreja, (3) os ensinamentos das escolas públicas e (4) os jornais, as revistas e os livros.

Por meio dessas quatro fontes, qualquer ideal, pensamento ou ideia pode ser imposto à criança de forma tão indelével, que os resultados seriam difíceis, senão impossíveis, de apagar ou mudar.

Resumindo, acreditamos que vale a pena repetir, em poucas palavras, os dois principais pontos levantados, a saber:

Primeiro – Qualquer ideal ou hábito que se pretende tornar um elemento permanente em um ser humano deve ser plantado na mente na primeira infância, pelo princípio da hereditariedade social. Uma ideia assim plantada torna-se parte permanente dessa pessoa e permanece com ela por toda a vida, exceto em casos muito raros, em que influências mais fortes que aquelas que plantaram a ideia possam neutralizá-la ou apagá-la. Esse princípio é chamado de hereditariedade social, pois constitui o meio pelo qual as características dominantes de uma pessoa são plantadas e desenvolvidas a partir de todas as impressões sensoriais que chegam à mente vindo do ambiente, por meio dos cinco sentidos, separadas e distintas daquelas características físicas que são herdadas dos pais.

Segundo – um dos princípios fundamentais mais importantes da psicologia, por meio do qual a mente humana funciona, é a tendência da mente de querer o que é negado, proibido ou difícil de adquirir. No momento em que você remove um objeto do alcance de uma pessoa, cria na mente dessa pessoa o desejo por aquele objeto. No momento em que você proíbe uma pessoa de fazer algo, desperta nela o forte desejo de fazer exatamente o que foi proibido. A mente humana se ressente de ser forçada a fazer qualquer coisa. Portanto, para plantar na mente de uma pessoa uma ideia que permaneça nela de modo definitivo, é preciso apresentá-la de forma que a pessoa a acolha e aceite prontamente. Todos os vendedores competentes conhecem esse princípio e praticam o hábito de apresentar os méritos de seus serviços, bens ou mercadorias de forma que o comprador em potencial mal perceba que as ideias que está formando não se originam de sua mente.

Esses dois princípios são dignos de consideração por todos que querem se tornar líderes em qualquer empreendimento que valha a pena, pois toda liderança bem-sucedida depende da utilização deles. Esteja você vendendo produtos, praticando medicina ou direito, pregando sermões, escrevendo livros, ensinando na escola ou administrando no comércio e na indústria, verá que sua capacidade aumenta muito quando estuda, entende e usa esses dois princípios pelos quais se pode alcançar a mente humana.

Você é a soma de dois fatores, apenas, hereditariedade e ambiente. Não pode mudar como você nasceu, mas pode construir seus pontos fortes e superar os fracos. E você PODE mudar seu ambiente, pensamentos, propósito e objetivo de vida. VOCÊ decide. Você QUER? Então, você PODE.

LIÇÃO 2

Autossugestão

Autossugestão significa simplesmente a sugestão que alguém pratica de forma deliberada sobre si mesmo.

James Allen, em sua excelente revista, *As a Man Thinketh* (*Como um homem pensa*, em tradução livre), deu ao mundo uma bela lição de autossugestão ao mostrar que um homem pode literalmente transformar-se por meio desse processo.

Esta lição, como a revista de James Allen, pretende ser principalmente um meio de estimular homens e mulheres à descoberta e percepção da verdade de que "eles são os fabricantes de si mesmos" em virtude dos pensamentos que escolhem e estimulam; que a mente é a tecelã, tanto da vestimenta interna do caráter quanto da vestimenta externa das circunstâncias; e que, da mesma forma que até agora se entrelaçaram com a ignorância, a dor e a tristeza, daqui em diante podem se entrelaçar com esclarecimento e felicidade.

Esta lição não é um sermão, nem um tratado sobre moralidade ou ética. É um tratado científico por meio do qual o estudioso pode compreender a razão por que o primeiro degrau da escada para o triunfo foi colocado lá, e como fazer do princípio daquele degrau uma parte de seu equipamento de trabalho, com o qual superar os problemas econômicos mais importantes da vida. Esta lição tem por base os seguintes fatos:

1. Todo movimento do corpo humano é controlado e dirigido pelo pensamento, isto é, por ordens enviadas do cérebro, onde a mente tem seu centro de comando.
2. A mente é dividida em duas seções, uma chamada de seção consciente (que dirige nossas atividades corporais enquanto estamos acordados), e a outra chamada de seção subconsciente, que controla nossa atividade corporal quando estamos dormindo.
3. A presença de qualquer pensamento ou ideia na mente consciente (e isso provavelmente também é válido para pensamentos e ideias na área subconsciente da mente) tende a produzir um "sentimento associado" e incitar a pessoa à atividade física apropriada, transformando o pensamento em questão em realidade física. Por exemplo, pode-se desenvolver coragem e autoconfiança usando a seguinte afirmação positiva, ou outra semelhante, ou mantendo sempre em mente o pensamento desta afirmação: "Eu acredito em mim. Sou corajoso. Posso realizar tudo o que empreender". Isso é autossugestão.

Vamos agora ao *modus operandi* pelo qual é possível apropriar-se do primeiro degrau da escada para o triunfo e usá-lo. Para começar, procure diligentemente até encontrar o trabalho específico ao qual deseja dedicar sua vida, tomando cuidado para escolher aquele que vai beneficiar todos que são afetados por suas atividades. Depois de decidir como será o trabalho de sua vida, escreva uma declaração clara sobre ele e guarde-a na memória.

Várias vezes por dia, e especialmente à noite, logo antes de ir dormir, repita as palavras dessa descrição escrita do trabalho de sua vida e afirme para si mesmo que está atraindo as forças, as pessoas e as coisas materiais necessárias para alcançar o objetivo do trabalho de sua vida, ou seu objetivo definido na vida.

Tenha em mente que o cérebro é literalmente um ímã, e que atrai outras pessoas que se harmonizam, em pensamentos e ideais, com aqueles pensamentos que dominam sua mente e aqueles ideais que estão mais profundamente arraigados em você.

Existe uma lei, que podemos chamar de lei da atração, por cuja ação a água busca seu nível, e tudo no universo de natureza semelhante busca sua espécie. Não fosse por essa lei, que é tão imutável quanto a lei da gravitação que mantém os planetas em seus devidos lugares, as células das quais cresce um carvalho poderiam fugir e se misturar com as células das quais cresce o álamo, produzindo uma árvore que seria parte álamo, parte carvalho. Mas nunca se ouviu falar desse fenômeno.

Seguindo essa lei da atração um pouco mais, podemos ver como ela funciona entre homens e mulheres. Sabemos que homens de negócios prósperos e bem-sucedidos buscam a companhia da própria espécie, enquanto os desfavorecidos buscam sua espécie, e isso acontece tão naturalmente quanto a água corre encosta abaixo.

Os semelhantes se atraem, fato indiscutível.

Então, se é verdade que os homens estão constantemente buscando a companhia daqueles cujos ideais e pensamentos se harmonizam com os seus, não dá para ver a importância de controlar e direcionar os pensamentos e os ideais a ponto de, com o tempo, desenvolver em seu cérebro exatamente o tipo de "ímã" que você deseja usar para atrair os outros até você?

Se é verdade que a própria presença de qualquer pensamento em sua mente consciente tem a tendência de lhe estimular para uma atividade corporal e muscular que corresponderá à natureza do pensamento, não é visível a vantagem de selecionar, com cuidado, os pensamentos aos quais você permite que sua mente se dedique?

Leia estas linhas com atenção, reflita e digira o significado que elas transmitem, porque agora estamos lançando a base para uma verdade científica que constitui o próprio alicerce sobre o qual é baseada toda realização humana valiosa. Estamos começando agora a construir a estrada pela qual você vai sair do deserto da dúvida, do desânimo, da incerteza e do fracasso, e queremos que você conheça cada centímetro dessa estrada.

Ninguém sabe o que é o pensamento, mas todo filósofo e todo homem de capacidade científica que estudou o assunto concorda com a afirmação de que o pensamento é uma forma poderosa de energia que dirige as atividades do corpo humano, que toda ideia mantida na mente por meio de pensamento prolongado e concentrado assume forma permanente e continua a afetar as atividades corporais de acordo com sua natureza, consciente ou inconscientemente.

A autossugestão, que não é mais nem menos que uma ideia mantida na mente por meio do pensamento, é o único princípio conhecido pelo qual alguém pode literalmente se reformular, de acordo com qualquer padrão que possa escolher.

Como desenvolver o caráter por meio da autossugestão

Isso nos leva a um lugar apropriado para explicar o método pelo qual seu autor literalmente se reformulou durante um período aproximado de cinco anos.

Antes de entrarmos nesses detalhes, vamos lembrar da tendência comum dos seres humanos de duvidar daquilo que não entendem e de tudo o que não podem provar de maneira que julguem satisfatória, seja por experiências próprias semelhantes, seja por observação.

Vamos também lembrar que este não é um tempo de ver para crer. Seu autor, embora relativamente jovem, viu o nascimento de algumas das maiores invenções do mundo, a descoberta, por assim dizer, de alguns dos chamados "segredos ocultos" da natureza. E pode-se dizer que ele se mantém preciso quando diz que, durante os últimos sessenta anos, a ciência abriu as cortinas que nos separavam da luz da verdade e colocou em uso mais ferramentas de cultura, desenvolvimento e progresso do que antes se descobriu em toda a história da raça humana.

Em anos relativamente recentes, vimos o nascimento da lâmpada elétrica incandescente, da máquina de impressão, da imprensa, do raio X, do telefone, do automóvel, do avião, do submarino, do telégrafo sem fio e de uma variedade de outras forças organizadas que servem a humanidade e tendem a distanciá-la dos instintos animais da idade das trevas da qual ela surgiu.

Enquanto essas linhas são escritas, somos informados de que Thomas A. Edison está trabalhando em um dispositivo que, ele acredita, permitirá aos espíritos dos homens que partiram se comunicarem conosco aqui na Terra, se tal coisa for possível. E se amanhã de manhã chegar de East Orange, New Jersey, a notícia de que Edison concluiu sua máquina e se comunicou com os espíritos dos homens que partiram, este escritor, por exemplo, não vai debochar da declaração. Se não aceitarmos isso como verdade até termos visto a prova, pelo menos manteremos a mente aberta sobre o assunto, porque temos testemunhado o suficiente do "impossível" durante os últimos trinta anos para nos convencer de que há pouco estritamente impossível quando a mente humana se dedica a uma tarefa com aquela determinação implacável que não conhece derrotas.

Se a história moderna traz as informações corretas, os melhores ferroviários do país zombaram da ideia de que Westinghouse poderia parar um trem colocando ar comprimido no freio, mas esses mesmos homens viveram para ver uma lei aprovada pela legislatura de Nova York obrigando as empresas ferroviárias a usar esse "artifício tolo", e se não fosse por essa lei, a velocidade atual dos trens e a segurança com que podemos viajar não seriam possíveis.

Lembramos também que, se o ilustre Napoleão Bonaparte não tivesse debochado do pedido de audiência de Robert Fulton, a capital francesa hoje poderia estar situada em solo inglês, e a França poderia ser a senhora de todo o império britânico. Fulton mandou dizer a Napoleão que ele havia inventado uma máquina a vapor que poderia impulsionar um navio contra o vento, mas Napoleão, nunca tendo visto tal artifício, respondeu que não tinha tempo para brincar com engenhocas e, além disso, os navios não podiam navegar contra o vento, porque os navios nunca navegaram dessa forma.

O autor lembra bem de um projeto de lei que foi apresentado ao Congresso solicitando uma verba para fazer experiências com um avião que Samuel Pierpont Langley havia projetado, mas a verba foi prontamente negada, e o Professor Langley foi ridicularizado por ser um sonhador pouco prático e "maluco". Ninguém jamais tinha visto um homem fazer uma máquina voar no ar, e ninguém acreditava que isso fosse possível.

Mas estamos nos tornando um pouco mais liberais em nossas opiniões sobre poderes que não entendemos; pelo menos aqueles que não querem virar piada para as gerações futuras.

Sentimos que devíamos lembrar o leitor dessas "impossibilidades" do passado que se tornaram realidades, antes de levá-lo para trás das cortinas de nossa vida e exibir, para seu benefício, certos princípios que temos motivos para crer que serão difíceis de aceitar para os não iniciados, até que tenham sido testados e comprovados.

Vamos agora revelar a experiência mais surpreendente e, podemos dizer, a mais milagrosa de todo o nosso passado, uma experiência relatada exclusivamente para benefício daqueles que procuram de forma sincera maneiras e meios para desenvolver em si mesmos aquelas qualidades que constituem o caráter positivo.

Quando começamos a entender o princípio da autossugestão há vários anos, adotamos um plano para fazer uso prático dele e desenvolver certas características que admirávamos em certos homens, que são conhecidos personagens da história, por exemplo:

À noite, pouco antes de dormir, adotamos como prática fechar os olhos e ver, em nossa imaginação (por favor, estabeleça isso com clareza em sua mente – o que vimos era deliberadamente colocado em nossa mente como instruções, ou como um comando direto para a mente subconsciente, e como uma planta a partir da qual ela poderia construir, por meio de nossa imaginação, e não foi de forma alguma atribuído a nada oculto ou no campo dos fenômenos desconhecidos), uma grande mesa de conselho à nossa frente.

Depois víamos, em nossa imaginação, certos homens sentados ao redor daquela mesa, homens de cujo caráter e vida queríamos absorver certas qualidades a serem deliberadamente incorporadas em nosso próprio caráter, por meio do princípio da autossugestão.

Por exemplo, alguns homens que selecionamos para ocupar um lugar imaginário na mesa de conselho imaginária eram Lincoln, Emerson, Sócrates, Aristóteles, Napoleão, Jefferson, Elbert Hubbard, o homem da Galileia e Henry Ward Beecher, o conhecido orador inglês.

O propósito era impressionar o subconsciente, por meio da autossugestão, com o pensamento de que estávamos desenvolvendo certas qualidades que mais admirávamos em cada um desses e em outros grandes homens.

Noite após noite, por uma hora ou mais, tínhamos essa reunião imaginária na mesa de conselho. Na verdade, mantemos a prática até hoje, acrescentando um novo personagem à mesa sempre que encontramos alguém de quem desejamos absorver certas qualidades por meio da imitação.

De Lincoln, queríamos as qualidades pelas quais ele era mais conhecido - seriedade de propósito; um adequado senso de justiça com todos – amigos e inimigos –; um ideal que tinha por objetivo a elevação das massas, das pessoas comuns; a coragem de romper com precedentes e estabelecer novos parâmetros quando as circunstâncias o exigiam. A proposta era desenvolver todas essas qualidades que tanto admirávamos em Lincoln enquanto olhávamos para aquela mesa imaginária, ordenando ao subconsciente para de fato usar a imagem que via na mesa de conselho como um plano a partir do qual construir.

De Napoleão queríamos absorver a qualidade da persistência obstinada; queríamos sua habilidade estratégica de transformar circunstâncias adversas em bons resultados; queríamos a autoconfiança e a maravilhosa capacidade de inspirar e liderar homens; queríamos a capacidade de organizar suas próprias faculdades e seus colegas de trabalho, pois sabíamos que o verdadeiro poder só vinha por meio de esforços organizados com inteligência e adequadamente direcionados.

De Emerson, queríamos aquela visão aguçada de futuro pela qual ele era notado. Queríamos a capacidade de interpretar a caligrafia da natureza como se manifesta em riachos fluindo, pássaros cantando, crianças rindo, o céu azul, o céu estrelado, a grama verde e as belas flores. Queríamos a capacidade de interpretar as emoções humanas, a capacidade de raciocinar da causa para o efeito e, inversamente, do efeito para a causa.

Queríamos o poder das palavras de Elbert Hubbard e sua capacidade de interpretar a tendência dos tempos; queríamos sua capacidade de combinar palavras para que transmitissem as imagens exatas dos pensamentos que criamos; queríamos a habilidade de escrever com um ritmo que fosse inquestionável quanto ao seu significado ou sinceridade.

Queríamos que o poder magnético de Beecher conquistasse os corações de uma plateia em discursos públicos, sua capacidade de falar com força e convicção que levassem o público ao riso ou às lágrimas e fizessem seus ouvintes sentirem com ele alegria e melodia, tristeza e bom humor.

Ao ver aqueles homens sentados diante de mim, sentados ao redor da mesa imaginária, dirigia minha atenção a cada um deles por alguns minutos, dizendo a mim mesmo que estava desenvolvendo aquelas qualidades que pretendia absorver do personagem diante de mim.

Se você tem lágrimas de pesar a derramar por mim, por causa da minha ignorância em cumprir esse papel imaginário de construção de caráter, prepare-se para derramá-las agora. Se você tem palavras de condenação para dizer contra minha prática, pronuncie-as agora. Se você tem um sentimento de cinismo que parece lutar por expressão na forma de um rosto carrancudo, expresse-o agora, porque estou prestes a relatar algo que deve - e provavelmente vai - fazer você parar, olhar e raciocinar!

Até o tempo em que comecei com essas reuniões de conselho imaginárias, tinha feito muitas tentativas de falar em público, e todas resultaram em terríveis fracassos. O primeiro discurso que tentei fazer, depois uma semana dessa prática, impressionou tanto a plateia, que fui convidado a voltar para dar outra palestra sobre o mesmo assunto, e daquele dia até o momento da redação destas linhas, tenho melhorado constantemente.

No ano passado, a demanda por meus serviços de palestrante tornou-se tão universal, que visitei a maior parte dos Estados Unidos, falando nos principais clubes, organizações cívicas, escolas e eventos organizados especialmente para isso.

Na cidade de Pittsburgh, durante o mês de maio de 1920, fiz a palestra "Magic Ladder to Success" (Escada mágica para o sucesso) no Advertising Club. Estavam na plateia alguns dos principais empresários dos Estados Unidos, funcionários da Carnegie Steel Company, da H.J. Heinz Pickle Company, da Joseph Horne Department Store e de outras grandes indústrias da cidade. Esses homens eram analíticos. Muitos deles eram formados em faculdades e universidades. Eram homens que sabiam quando ouviam algo que fazia sentido. No fim da palestra, eles me deram o que vários membros da plateia mais tarde disseram ter sido a maior ovação jamais dada a um palestrante naquele clube. Pouco depois de voltar de Pittsburgh, recebi uma medalha dos Associated Advertising Clubs of the World (Clubes Associados de Publicidade do Mundo) em memória daquele evento, com a seguinte inscrição: "Em reconhecimento a Napoleon Hill, 20 de maio de 1920".

Por favor, não cometa o erro de interpretar o que acabei de relatar como uma explosão de vaidade. Estou trazendo fatos, nomes, datas e lugares, e faço isso apenas com o propósito de mostrar que havia realmente começado a desenvolver em mim a qualidade que tanto admirava em Henry Ward Beecher. Essa qualidade foi desenvolvida em torno da mesa imaginária, de olhos fechados, enquanto olhava para uma figura imaginária do Sr. Beecher integrando meu grupo imaginário de conselheiros.

O princípio pelo qual desenvolvi essa habilidade foi a autossugestão. Preenchi minha mente de tal forma com o pensamento de que igualaria, e até superaria Beecher antes de parar, que nenhum outro resultado poderia ter sido possível.

Minha narrativa também não termina aqui – uma narrativa que, aliás, as centenas de milhares de pessoas que me conhecem agora, localizadas em quase todas as cidades, vilas e aldeias dos Estados Unidos, podem corroborar! Comecei, imediatamente, a substituir a intolerância pela tolerância; comecei a imitar o imortal Lincoln nessa maravilhosa qualidade de ser justo com todos, amigos e inimigos. Uma nova força começava a se manifestar, não só em minhas palavras faladas, mas também em minha caneta, e vi, tão claramente quanto podia ver o sol em um dia claro, o desenvolvimento constante dessa capacidade de me expressar com força e convicção por meio da palavra escrita, algo que tanto admirava em Elbert Hubbard.

Ao falar sobre esse ponto, não muitos meses atrás, o Sr. Myers, um funcionário da Morris Packing Company de Chicago, observou que meus editoriais na revista *Hill's Golden Rule* o faziam lembrar com muita intensidade do falecido Elbert Hubbard, e acrescentou que tinha comentado com um de seus associados, alguns dias antes, que eu não só era grande o bastante para ocupar o lugar de Elbert Hubbard, mas que já o havia superado.

Não haverá paz duradoura na Terra até que a raça humana aprenda que o conflito físico não pode decidir uma questão moral.

Mais uma vez, lembro que o leitor não deve desconsiderar esses fatos, ou atribuí-los à vaidade. Se escrevo tão bem quanto Hubbard é porque aspirei a isso, primeiro usando deliberadamente a autossugestão para carregar minha mente com o objetivo e o propósito de não apenas me igualar a ele, mas superá-lo, se possível.

Tenho consciência de que a demonstração de vaidade é uma fraqueza imperdoável, tanto em um escritor quanto em um orador, e ninguém denuncia mais prontamente essa superficialidade de espírito do que este escritor. No entanto, devo também lembrar que nem sempre é um sinal de vaidade quando um escritor se refere às próprias experiências com o objetivo de fornecer aos leitores dados autênticos sobre um determinado assunto. Às vezes, é preciso coragem para isso. Neste caso específico, eu evitaria usar com tanta liberdade o pronome pessoal "eu", que com tanta frequência se insinuou nesta narrativa, não fosse pelo fato de assim acabar tirando muito do valor do meu trabalho. Estou relatando essas experiências pessoais apenas porque sei que são autênticas, acreditando, como acredito, que é preferível correr o risco de ser considerado vaidoso a usar um exemplo hipotético do princípio da autossugestão ou escrever em terceira pessoa.

O valor de um objetivo definido na vida

Seu autor dedica o mesmo cuidado e a mesma atenção aos detalhes de seu objetivo definido na vida que dedicaria aos planos de um arranha-céu, se pensasse em construir um. Suas conquistas na vida não serão mais definidas do que foram os planos com os quais você atingiu o objetivo.

Pouco mais de um ano e meio antes de escrever estas linhas, revisei a declaração escrita do meu objetivo definido na vida, mudando o parágrafo intitulado "Renda" para deixá-lo como segue:

> **Vou ganhar US$ 100 mil por ano porque precisarei dessa quantia para dar continuidade ao programa educacional que tracei para minha Escola de Economia Empresarial.**

Em menos de seis meses a partir do dia em que fiz essa mudança na redação do meu objetivo definido de vida, fui abordado pelo chefe de uma empresa que me ofereceu um contrato comercial de US$ 105.200 por ano, sendo US$ 5.200 para cobrir minhas despesas de viagem de ida e volta para o local de trabalho, que ficava longe de Chicago, o que deixava a quantia acertada como salário exatamente igual ao valor que estabeleci na declaração escrita do meu objetivo definido.

Aceitei essa oferta e, em menos de cinco meses, criei para a empresa que me contratou uma organização e outros ativos avaliados em mais de US$ 20 milhões. Abstenho-me de mencionar nomes apenas por me sentir obrigado a declarar que meu contratante encontrou uma brecha e se valeu dela para não pagar o salário acertado de US$ 100.000 acordado.

Há dois fatos importantes para os quais gostaria de chamar sua atenção:

Em primeiro lugar, a oferta foi exatamente a quantia que eu havia estabelecido em meu objetivo definido como a que pretendia ganhar durante o ano seguinte.

Em segundo lugar, eu realmente ganhei a quantia (e, na verdade, ganhei muitas vezes mais), embora não tenha recebido.

Agora, por favor, volte ao texto da minha declaração, eu "ganharia US$ 100 mil por ano" e faça a si mesmo a pergunta: "Qual teria sido a diferença, se existe alguma, se a declaração fosse 'vou ganhar e RECEBER US$ 100 mil por ano'?".

Francamente, por um lado, não sei se teria feito alguma diferença nos resultados se tivesse redigido dessa forma meu objetivo definitivo. Por outro lado, poderia ter feito uma grande diferença.

Quem é sábio o suficiente para afirmar ou negar a declaração de que existe uma lei do universo pela qual atraímos aquilo que acreditamos poder alcançar na vida por meio dessa mesma lei; que recebemos o que demandamos, desde que a demanda seja possível de alcançar e se baseie na equidade, na justiça e em um plano claramente definido.

Estou convencido de que é impossível derrotar o propósito de uma pessoa que organiza seus esforços. Com essa organização, seu autor atingiu, com velocidade espantosa, a posição que desejava na vida, e ele

Serviço e sacrifício são senhas para o mais alto sucesso.

sabe que qualquer outra pessoa pode fazer a mesma coisa.

Em minhas palestras durante os últimos doze meses, suponho ter afirmado pelo menos mil vezes minha opinião de que a pessoa que se dá ao trabalho de construir um plano definido que seja sólido e equitativo, que beneficie a todos aqueles que afeta, e então desenvolve a autoconfiança para colocá-lo em prática até sua conclusão não pode ser derrotada.

Nunca me acusaram de ser excessivamente crédulo ou supersticioso. Nunca me impressionei muito com supostos milagres, mas sou forçado a admitir que vi o funcionamento, em minha própria evolução durante os últimos vinte e tantos anos, de certos princípios que produziram resultados aparentemente milagrosos. Tenho observado o desenvolvimento e o desabrochar de minha mente e, embora normalmente não me impressione muito com qualquer "milagre", cuja causa não posso rastrear, devo admitir que muito do que aconteceu no desenvolvimento de minha própria mente não posso rastrear até a causa original.

Mas isto eu sei: minha ação corporal externa invariavelmente se harmoniza e corresponde à natureza dos pensamentos que dominam minha mente, os pensamentos que permito que entrem em minha mente, ou aqueles que de forma deliberada coloco nela com a intenção de dar a eles o domínio sobre minhas atividades corporais.

Minha experiência provou de maneira conclusiva que o caráter não precisa ser uma questão de sorte! Caráter pode ser construído sob demanda da mesma forma que uma casa pode ser construída para corresponder a um conjunto de projetos previamente traçados. Minha experiência provou de maneira conclusiva que um homem pode reconstruir seu caráter em um período de tempo incrivelmente curto, que varia de algumas semanas a alguns anos, dependendo da determinação e do desejo com que ele aborda uma tarefa.

Felicidade é o único bem.
O lugar para ser feliz é aqui.
O tempo para ser feliz é agora.
O caminho para ser feliz é ajudar
os outros a serem felizes.
– ROBERT G. INGERSOLL

Poucos meses antes de iniciar essas aulas de psicologia aplicada, tive uma experiência que chamou considerável atenção em meio às partes interessadas aqui na cidade de Chicago. Quando eu estava saindo de um elevador no departamento de varejo da A.C. McClurg & Company (a maior livraria e papelaria de Chicago), o ascensorista deixou a porta fechar e me pegar entre a porta e a parede do elevador. Além de me causar muita dor, o acidente rasgou a manga do meu casaco, provocando um dano que parecia irreparável.

Relatei o acidente ao gerente da loja, um certo Sr. Ryan, que muito gentilmente me informou que eu seria reembolsado pelos prejuízos. Depois de algum tempo, a seguradora mandou um representante, examinou meu casaco e me pagou US$ 40 pelos danos. Depois que o acordo foi feito e todas as partes envolvidas ficaram satisfeitas, levei o casaco ao meu alfaiate, e ele fez um reparo tão meticuloso, que não se via onde o casaco havia sido rasgado. A conta do alfaiate foi de US$ 2.

Eu tinha US$ 38 que não me pertenciam, mas a seguradora ficou satisfeita, principalmente, suponho, porque resolveu o caso pagando menos da metade do preço de um terno novo. A A.C. McClurg &

Company ficou satisfeita porque meu prejuízo foi ressarcido, e o caso não custou nada para eles.

Mas eu não estava satisfeito!

Eu poderia usar aqueles US$ 38 para muitas coisas. Legalmente, eram meus, eu estava de posse do dinheiro e não havia ninguém para questionar meu direito a ele ou os meios pelos quais o adquiri.

Se a seguradora soubesse que o terno poderia ter sido reparado de modo tão perfeito, provavelmente teria se recusado a pagar um valor tão alto, mas a questão de como ficaria o conserto era algo que não poderia ter sido determinado com antecedência.

Discuti com minha consciência por aqueles US$ 38, mas ela não me permitiu ficar com eles, então, finalmente, decidi devolver metade do valor e ficar com a outra metade, com a justificativa de que havia perdido um tempo considerável providenciado o conserto, e que o reparo poderia acabar deixando à mostra o defeito da vestimenta posteriormente. Tive que acomodar as coisas consideravelmente a meu favor antes de sentir que a decisão de ficar com um valor maior que o custo real dos reparos era justificada.

Quando fui devolver o dinheiro, o representante da McClurg & Company sugeriu que eu ficasse com ele e esquecesse o assunto, ao que respondi: "É justamente esse o problema; queria ficar com ele, mas não consegui *esquecer*!".

Havia uma boa razão para eu devolver aqueles US$ 20. Esse motivo não tinha nenhuma relação com ética ou honestidade. Não tinha nada a ver com os direitos da A.C. McClurg & Company ou da seguradora que protegia a McClurg & Company. Quando decidi devolver o dinheiro, em nenhum momento levei em consideração a McClurg ou a seguradora. Eles estavam totalmente fora da questão porque estavam satisfeitos. O que realmente levei em consideração foi meu caráter, pois sabia que toda transação influenciava minha fibra moral, e que caráter não é mais nem menos que a soma de nossos hábitos e nossa conduta ética. Eu sabia que não podia ficar com aqueles US$ 20 sem antes conquistar o direito a eles, da mesma forma que um vendedor de maçãs não pode deixar uma maçã podre em um barril de maçãs boas antes de armazenar o barril para o inverno.

Devolvi os US$ 20 porque queria convencer *a mim mesmo* de que nada material poderia afetar meu caráter, com o meu conhecimento, a menos que eu soubesse que era correto. Devolvi o dinheiro por saber que isso seria uma oportunidade esplêndida de me testar e verificar se tinha ou não aquele tipo de honestidade que faz o homem ser honesto por conveniência, ou aquele tipo mais profundo, nobre e digno, que faz o homem ser honesto para se tornar mais forte e mais capaz de servir aos seus semelhantes a partir do desejo de ser tudo que ele diz para o outro homem ser.

Estou convencido de que, se os planos de um homem se baseiam em princípios econômicos sólidos; se são bons e justos com todos a quem afetam; e se o homem em questão pode respaldar esses planos com a força dinâmica de caráter e a crença em si mesmo que cresce das transações que sempre satisfizeram sua consciência, ele vai caminhar para o sucesso com e pela ajuda de uma imensa corrente de força que nenhum poder na Terra pode deter, e, mais que isso, uma força que poucos podem interpretar ou compreender corretamente.

Poder é conhecimento organizado, controlado e direcionado para fins que se baseiam na justiça e na equidade para todos que são afetados. Existem duas classes de poder humano. Um é obtido pela organização das faculdades individuais, e o outro é alcançado pela organização de indivíduos que trabalham harmoniosamente para um fim comum. Não pode haver poder exceto por meio de uma organização dirigida de forma inteligente.

Você não pode organizar suas faculdades individuais, senão pelo uso do princípio da autossugestão, simplesmente porque não pode vitalizar ou dar força dinâmica às suas faculdades, suas emoções, seu intelecto, seus poderes de raciocínio ou suas funções corporais sem reunir todos esses elementos, relacioná-los e transformá-los em um plano.

Nenhum plano, grande ou pequeno, pode ser desenvolvido em sua mente senão pelo princípio da autossugestão.

A mente se assemelha a um rico canteiro, pois produz uma safra de atividade externa, física, corporal que corresponde exatamente à natureza dos pensamentos que dominam a mente, sejam eles postos ali de forma deliberada e mantidos até que criem raízes e cresçam, sejam apenas visitantes que chegam sem ser convidados e se instalam.

Não há como escapar dos efeitos dos pensamentos dominantes. Não há possibilidade de pensar em fracasso, pobreza e desânimo e, ao mesmo tempo, desfrutar de sucesso, riqueza e coragem. Você pode escolher o que mobiliza a atenção de sua mente; portanto, pode controlar o desenvolvimento de seu caráter, o que, por sua vez, ajuda a determinar o caráter das pessoas que vai atrair. Sua mente é o ímã que atrai aqueles com quem você se associa mais intimamente, a posição que ocupa na vida. Portanto, faz parte das suas competências magnetizar essa mente apenas com pensamentos que vão atrair o tipo de pessoa com quem você deseja se associar e a posição que quer conquistar na vida.

A autossugestão é o próprio alicerce sobre o qual e pelo qual uma personalidade atraente é construída, porque o caráter passa a ser semelhante aos pensamentos dominantes da mente, e estes, por sua vez, controlam a ação do corpo.

Ao fazer uso do princípio da autossugestão, você está pintando um quadro ou desenhando um plano para orientar o trabalho do subconsciente. Depois de aprender como concentrar ou fixar adequadamente sua atenção nesse processo de construção de planos, você pode acessar a mente subconsciente de forma instantânea, e ela colocará seus planos em ação.

Os iniciantes devem repetir muitas e muitas vezes as linhas de seus planos, antes que a mente subconsciente se apodere deles e os transforme em realidade. Portanto, não desanime se você não obtiver resultados imediatos. Somente aqueles que alcançaram o domínio podem acessar e dirigir a mente subconsciente instantaneamente.

Ao encerrar esta lição, gostaria de lembrar que, por trás desse princípio de autossugestão, tem algo importante que você não deve ignorar, que é o desejo forte, profundamente arraigado e altamente emocional. O desejo é o início da operação mental. Você pode criar na realidade física praticamente qualquer coisa que desejar com emoção profunda e vitalizada.

O desejo profundo é o início de todas as realizações humanas. A autossugestão é só o princípio pelo qual esse desejo é comunicado à mente subconsciente. É provável que você não precise ir além da própria experiência para comprovar que é relativamente fácil conquistar aquilo que se deseja com intensidade.

A seguir abordaremos o assunto da sugestão e mostraremos como usar sua personalidade dinâmica e atraente depois de tê-la desenvolvido por meio da autossugestão. Sugestão é a base da arte de vender.

LIÇÃO 3

Sugestão

Na lição anterior, aprendemos o significado de autossugestão e os princípios pelos quais ela pode ser usada. Autossugestão significa sugestionar a si mesmo. Passamos agora ao nosso próximo princípio de psicologia, que é o seguinte:

Sugestão é um princípio da psicologia por meio do qual podemos influenciar, dirigir e controlar a mente de outras pessoas. É o principal princípio usado em propaganda e vendas. É o princípio pelo qual Marco Antônio influenciou a turba romana naquele discurso maravilhoso descrito em Quem vende enriquece.

Sugestão difere de autossugestão em apenas um aspecto: nós a usamos para influenciar a mente dos outros, enquanto usamos a autossugestão para influenciar a própria mente.

Sugestão é um dos princípios mais sutis e poderosos da psicologia. A ciência provou que, pelo uso destrutivo desse princípio, a vida pode realmente ser extinta, enquanto todas as formas de doença podem ser eliminadas por meio de seu uso construtivo.

Em inúmeras ocasiões, demonstrei o notável poder de sugestão da seguinte maneira, antes das minhas aulas de psicologia aplicada:

Com uma embalagem de 60 mL com o rótulo "Óleo de menta", explico rapidamente que quero demonstrar o poder do olfato. Então, exibindo o frasco diante da classe para que todos o vejam, explico que ele contém óleo de menta, e que algumas gotas derramadas em um lenço que tenho na minha mão vão alcançar até a extremidade mais distante da sala em cerca de quarenta segundos. Em seguida, tiro a rolha da garrafa e despejo algumas gotas no lenço, virando o rosto ao mesmo tempo para indicar que senti um aroma muito forte. Depois peço para os alunos levantarem a mão assim que sentirem o cheiro de menta.

As mãos começam a ser erguidas rapidamente até que, em alguns casos, 75% da classe estão com as mãos levantadas.

Eu então pego a garrafa, bebo o conteúdo lentamente e com toda a tranquilidade, e revelo que ela continha água pura! Ninguém sentiu cheiro de menta! Era uma ilusão olfativa, produzida inteiramente pelo princípio da sugestão.

Na pequena cidade onde fui criado, havia uma senhora que reclamava constantemente do medo de morrer de câncer. Desde que me lembro, ela alimentou esse hábito. Tinha certeza de que cada pequena dor real ou imaginária era o início de seu tão esperado câncer. Eu a vi colocar a mão no seio e dizer: "Ah, tenho certeza de que tenho um câncer crescendo aqui". Ao mencionar essa doença imaginária, ela sempre colocava a mão no seio esquerdo, local onde acreditava que o câncer a atacaria.

Enquanto escrevo esta lição, recebo a notícia de que essa senhora morreu de câncer na mama esquerda, no mesmo lugar onde colocava a mão quando se queixava de seus medos!

Se a sugestão vai realmente transformar as células saudáveis do corpo em parasitas a partir das quais se desenvolve um câncer, não se pode imaginar do que ela é capaz para eliminar as células doentes do corpo e substituí-las por outras saudáveis?

Se uma sala cheia de gente pode ser induzida a sentir cheiro de óleo de menta quando uma garrafa de água pura é aberta, por meio do princípio da sugestão, você não consegue ver que possibilidades notáveis existem para usar de maneira construtiva esse princípio em todas as tarefas legítimas que você executa?

Há alguns anos, um criminoso foi condenado à morte. Antes de sua execução, foi feito com ele um experimento que provou de maneira conclusiva que, por meio do princípio da sugestão, era realmente possível produzir a morte. Esse criminoso foi levado para a guilhotina, com a cabeça colocada sob a lâmina depois de ter sido vendado, e uma pesada tábua caiu sobre seu pescoço, produzindo impacto semelhante ao da lâmina da guilhotina. Água morna derramada delicadamente escorreu por seu pescoço, imitando o sangue quente. Em sete minutos, os médicos declararam o criminoso morto. Sua imaginação, por meio do princípio da sugestão, tinha realmente transformado a tábua afiada em uma lâmina de guilhotina e interrompido os batimentos cardíacos.

Cada caso de cura realizada por praticantes de "cura mental" é realizado por meio do princípio da sugestão. Soubemos de fonte segura que muitos médicos estão usando menos drogas e mais sugestão mental em seus consultórios. Dois médicos que fazem parte da minha família me contaram que usam mais "pílulas de pão" do que há alguns anos. Um desses médicos falou comigo sobre um caso em que um de seus pacientes encontrou alívio para uma violenta dor de cabeça poucos minutos depois de tomar o que acreditava ser aspirina, mas era, na verdade, um comprimido de farinha branca.

O hipnotismo funciona inteiramente pelo princípio da sugestão. Ao contrário da crença geral, uma pessoa não pode ser hipnotizada sem o seu consentimento. A verdade é que é a própria mente do sujeito, não a do operador ou hipnotizador, que produz o fenômeno que chamamos de hipnotismo.

Tudo que o operador pode fazer para hipnotizar uma pessoa é "neutralizar" a mente consciente do sujeito e, em seguida, colocar em sua mente subconsciente todas as sugestões desejadas. Quando falamos em "neutralizar" a mente, nos referimos ao ato de superar ou tornar impotente a mente consciente do sujeito em relação ao assunto em questão. Voltaremos a esse tema e explicaremos alguns métodos pelos quais a mente consciente pode se tornar impotente ou inoperante, mas antes vamos entender o método pelo qual o hipnotismo acontece, conforme palavras de um hipnotizador:

> Depois de conversar com o sujeito de maneira solidária, às vezes durante uma ou duas horas, sobre a falha que ele deseja remover, familiarizando-me minuciosamente com suas propensões dominantes ou pensamento controlador e, acima de tudo, conquistando sua confiança, peço que ele se recline confortavelmente em um divã e, em seguida, continuo falando com tom relaxante para produzir uma impressão monótona nos olhos e nos ouvidos, mais ou menos assim:
>
> "Quero que você olhe para este diamante (ou qualquer objeto conveniente colocado em sua linha de visão) de um jeito sonhador, tranquilo, com um olhar vazio e inexpressivo, sem pensar em nada, sem concentrar a mente ou focalizar os olhos nele, mas relaxando os músculos oculares de forma a ter uma visão turva. Abstenha-se daquele esforço que costuma fazer para ver nitidamente um objeto próximo. Em vez disso, olhe através da pedra e além dela, como olha para uma árvore morta que está entre você e uma paisagem distante que está contemplando.

Não faça nenhum esforço, pois não há nada que você possa fazer para estimular a adoção de um estado mental favorável. Não se pergunte o que vai acontecer, pois nada vai acontecer. Não fique apreensivo ou desconfiado. Não deseje que nada aconteça, nem observe para ver o que pode acontecer – nem procure analisar o que está acontecendo em sua mente. Você é tão negativo, indolente e indiferente quanto pode ser sem tentar ser.

Você deve esperar os sinais familiares da chegada do sono, e todos são associados à falha dos sentidos e à suspensão do cérebro – pálpebras pesadas, audição relutante, músculos e pele indiferentes aos estímulos de temperatura, umidade, penetrabilidade, etc. Aquela deliciosa 'sonolência' já torna suas pálpebras pesadas e direciona os sentidos para o 'esquecimento', e você se rende ao impulso quando as cortinas caem entre você e o mundo exterior de cor e luz.

E a audição procura acompanhar os outros sentidos. A escuridão que é o sono dos olhos também é o silêncio dos ouvidos; e os ouvidos garantem o silêncio tornando-se surdos às impressões sonoras. O som da minha voz deixa de ser interessante para você, e força e determinação parecem recuar para um misterioso afastamento. Uma agradável sensação de entrega a alguma influência agradável à qual você não pode resistir, e não resistiria se pudesse, se aproxima e envolve todo o seu corpo em um abraço benéfico, e você se sente fisicamente feliz. Um sono revigorante chegou para você."

A partir disso, você viu claramente que a primeira tarefa do hipnotizador é tornar impotente a mente consciente. (Chamamos de "mente consciente" aquela parte da mente que usamos quando estamos acordados.)

Depois que a mente consciente foi "neutralizada" ou tornada inoperante, parcial ou totalmente, o hipnotizador manipula o sujeito por meio de sugestões diretas à sua mente subconsciente. A mente subconsciente faz tudo que é dito. Ela não faz perguntas, mas atua sobre as impressões sensoriais que recebe por meio dos cinco sentidos. A razão, operando por meio da mente consciente, permanece como uma sentinela durante as horas de vigília, guardando os portais de visão, olfato, paladar, tato e audição, mas no momento em que vamos dormir ou ficamos semiconscientes por qualquer causa, essa guarda se torna inoperante.

São vários os graus de hipnotismo aos quais uma pessoa pode ser submetida pelo princípio da sugestão. O hipnotizador profissional, que atua no palco, geralmente consegue o controle total da mente de seus sujeitos e os faz se envolver em todo tipo de palhaçadas indignas e inconsistentes. Existe um grau muito mais leve de hipnotismo ao qual uma pessoa pode ser submetida, e em que pode ser controlada sem ter consciência do fato. É para esse grau de hipnotismo mais "invisível" ou imperceptível que desejamos chamar sua atenção, porque é o grau praticado mais comumente pelo não profissional sobre aqueles que ele escolhe controlar ou influenciar.

Esteja o sujeito sob controle hipnótico completo ou só parcialmente influenciado, tem que existir em sua mente uma condição indispensável: a credulidade. O hipnotizador, seja ele profissional ou não, precisa primeiro levar o sujeito a um estado de credulidade anormal antes de poder dirigir ou controlar sua mente.

Em outras palavras, qualquer mente deve ser "neutralizada" antes que possa ser influenciada pela sugestão. Isso nos faz voltar à questão da descrição dos métodos pelos quais a mente pode ser "neutralizada".

Ou seja, mostraremos agora como fazer a aplicação prática do princípio da sugestão, avisando antes, porém, que ele trará sucesso ou fracasso, felicidade ou desgraça, de acordo com o uso que for feito dele!

Posso descrever melhor o que se entende por "neutralizar" a mente relatando um caso que abrange o significado de maneira bem concreta. Há alguns anos, a polícia prendeu uma gangue de conhecidos vigaristas que operavam em salões de "clarividência" ou "adivinhação" na cidade de Chicago. O chefe dessa rede era um homem chamado Bertsche. O esquema era encontrar pessoas supersticiosas, crédulas e de boa situação financeira, que fossem a essas casas para saber o futuro e, por meio de uma série de manipulações mentais que descreverei, tirar dinheiro delas.

A "vidente" ou mulher encarregada de uma dessas falsas adivinhações descobria os segredos dos clientes, sua condição financeira, em que consistia sua riqueza e todos os outros dados necessários. Obter essa informação era simples, pois o propósito da adivinhação é aconselhar as pessoas em questões de negócios, amor, saúde, etc. Vítimas adequadas eram localizadas dessa maneira, e as informações eram coletadas e repassadas ao chefe do "grupo de clarividentes", Sr. Bertsche.

No momento mais oportuno, a "vidente" aconselhava sua vítima a consultar algum empresário que se pudesse crer isento de preconceitos relacionados a "relações consanguíneas intrigantes", dizendo, ao mesmo tempo, que a vítima em breve conheceria um homem assim. Certamente, em breve "acontecia" de o Sr. Bertsche estar, por acaso, no local de atendimento para consultar "Madame Vidente" sobre questões de investimento e negócios em geral, e, por "mero acidente", a vítima era apresentada a ele.

"Ele é um homem muito rico", a "vidente" confidenciava à vítima. Ela também diz que ele é um homem de "grande coração" que adora ajudar outras pessoas a terem sucesso nos negócios. O Sr. Bertsche está muito bem-vestido, parece ser rico e próspero. Ele conhece a vítima, mantém com ela uma conversa agradável e sai apressado para comparecer a um compromisso importante com o "Sr. Morganbilt".

Na próxima vez que a vítima for à loja da falsa vidente, ele ou ela (eles enganam os dois sexos com o mesmo sucesso) provavelmente encontrará o Sr. Bertsche "saindo para outro compromisso com o rico Sr. Vandermorgan". Ele sai apressado, aparentemente demonstrando pouco interesse pela vítima. Essa encenação se repete várias vezes, até que a vítima supera a "desconfiança" e começa a achar que o Sr. Bertsche é um homem ocupado, com pouco tempo para dedicar a outras pessoas.

Finalmente, depois de a vítima ter sido submetida ao primeiro grau de manipulação mental e ser convencida de que um convite do Sr. Bertsche para jantar seria um privilégio e uma grande honra, o convite é feito. A vítima é levada ao clube mais exclusivo, ou ao melhor café, e o jantar custará mais do que custariam suas despesas para uma semana inteira. A conta é paga pelo anfitrião, Sr. Bertsche, que foi apresentado como "juiz" de alguma coisa, parece nadar em dinheiro e se esforça para se livrar do acúmulo.

No bolso interno do Sr. Bertsche há cartões que contêm informações detalhadas sobre cada fraqueza, cada excentricidade, cada peculiaridade da vítima, todas minuciosamente analisadas e registradas. Se é um criador de cães, isso é avaliado e registrado. Se ele ama cavalos, isso também é conhecido.

O jogo começou! Se, por exemplo, a vítima gosta de cavalgar, o afável, rico e bem-arrumado Sr. Bertsche providenciará para que um de seus puros-sangues seja colocado à disposição da vítima. Se a vítima gosta de automobilismo, o Packard do Sr. Bertsche vai estar na porta à disposição.

A forma de entretenimento varia de acordo com os gostos da vítima, e as despesas são sempre pagas pelo agora "amigo de confiança", o Sr. Bertsche. Essa linha de atuação é mantida até que a mente da vítima esteja *completamente neutralizada*! Em outras palavras, até que a vítima pare completamente de desconfiar de qualquer coisa que possa acontecer, ou ser dita, ou mesmo sugerida. O afável Sr. Bertsche se esgueirou para o círculo de confiança da vítima, tudo isso a partir de um mero "encontro acidental", é claro. Em alguns casos, o Sr. Bertsche "envolvia a vítima" por seis meses, antes de chegar ao momento oportuno para atacar, e muitas vezes o custo do entretenimento e dos "cenários" chegavam a centenas e até milhares de dólares.

De acordo com os relatórios dos casos que vieram à tona, algumas vítimas de Bertsche entregaram até US$ 50 mil para "investir" em empresas sem valor, por recomendação dele ou por um comentário "casual" sobre ele ter valores investidos aqui e ali, investimentos que davam ótimos retornos. Em uma ocasião, ele exibiu casualmente um cheque de US$ 10 mil que acabara de receber, "dividendos" de um investimento de apenas US$ 20 mil em alguma empresa falsa. Veja bem, ele era muito astuto para tentar convencer as vítimas a investir em um desses empreendimentos falsos – conhecia a natureza humana bem demais para isso – só fingia ser um pouco "descuidado" e deixar escapar informações de vez em quando, detalhes que a vítima podia facilmente pegar e usar.

Sugestão é mais eficaz que demanda ou solicitação direta. Sugestão sutil é um poder maravilhoso, e o "rico" Sr. Bertsche sabia exatamente como aplicá-la. Em uma ocasião, sua vítima, uma mulher idosa, tornou-se tão crédula, que realmente sacou uma grande quantia em dinheiro do banco, levou para o Sr. Bertsche e tentou em vão convencê-lo a investir esse valor por ela. Ele rejeitou, dizendo que tinha dinheiro extra que queria fazer render, e que não havia abertura disponível naquele momento. O afável Sr. Bertsche rejeitou aquela senhora naquele momento porque estava jogando para arrancar dela apostas maiores. Ele sabia quanto dinheiro a mulher tinha e pretendia pegar tudo, e essa senhora teve uma agradável surpresa quando, alguns dias depois, o Sr. Bertsche telefonou para ela dizendo que, graças à interferência de um amigo muito especial, ela "possivelmente teria a chance" de investir em um determinado lote de ações muito valiosas, desde que pudesse comprar o lote inteiro. Ele não podia garantir que a transação seria possível, mas ela poderia tentar. E ela tentou! Uma hora depois o dinheiro estava no bolso de Bertsche.

Entramos nesses detalhes para mostrar exatamente o que significa "neutralizar" a mente. Para neutralizar a mente e prepará-la para aceitar qualquer sugestão e agir de acordo com ela é necessário que haja extrema credulidade, ou credulidade maior do que normalmente seria exercida pelo sujeito. Obviamente, existem milhares de maneiras de neutralizar a mente de uma pessoa e prepará-la para receber qualquer semente que desejamos plantar por meio de sugestão. Não é necessário enumerá-las porque você pode extrair de sua experiência tudo de que vai precisar para ter um conhecimento funcional prático do princípio e seu método de aplicação.

Em alguns casos, pode demorar meses para preparar a mente de uma pessoa para receber o que você deseja colocar nela por sugestão. Em outros casos, alguns minutos ou mesmo alguns segundos podem ser suficientes. Você também pode aceitar como um fato positivo, entretanto, que não vai poder influenciar a mente de uma pessoa que é antagônica a você, ou que não tem fé e confiança implícitas em você. O primeiro passo a ser dado, portanto, quer você esteja pregando um sermão, quer esteja vendendo mercadorias ou defendendo um caso perante um júri, é ganhar a confiança de quem deseja influenciar.

Leia aquele discurso notável de Marco Antônio no sepultamento de César, nas obras de Shakespeare, e você verá como uma multidão hostil foi completamente desarmada por Marco Antônio pelo uso do mesmo princípio que estamos descrevendo nesta lição.

Analisemos o início desse maravilhoso discurso, pois nele se pode encontrar uma lição de psicologia aplicada inigualável. A multidão ouviu Brutus expor seu motivo para matar César e foi influenciada por ele. Marco Antônio, amigo de César, sobe ao palco para apresentar sua versão do caso. A multidão está contra ele, no início. Além disso, espera que ele ataque Brutus. Mas Marco Antônio, psicólogo inteligente que é, não faz nada disso. Ele diz: "Amigos, romanos, compatriotas, escutem-me. Vim para enterrar César, não para elogiá-lo".

A turba esperava que ele fosse elogiar seu amigo César (o que fez), mas ele não tinha a menor intenção de começar até neutralizar a mente da plateia e prepará-la para receber de maneira favorável o que iria dizer. Se o plano sobre o qual o discurso de Marco Antônio foi construído tivesse sido invertido, e se ele se referisse a Brutus como um homem "honrado" ao começar, provavelmente teria sido assassinado pela multidão.

Um dos advogados mais capazes e bem-sucedidos que já vi faz uso da mesma psicologia que Marco Antônio empregou quando se dirige a um júri. Certa vez, eu o ouvi dizer a um júri palavras que me levaram a acreditar, por alguns minutos, que ele estava bêbado, ou que havia perdido a razão de repente.

Ele começou exaltando as virtudes de seus oponentes e, aparentemente, estava ajudando-os a estabelecer o caso contra seu cliente. Este foi o início de seu discurso: "Bem, senhores do júri, não quero assustá-los, mas há muitos pontos relacionados a este caso que são contra meu cliente", e passou a chamar a atenção para cada um deles. (Esses pontos, é claro, foram trazidos à tona pelo advogado oponente, de qualquer maneira.)

Depois de seguir essa linha por algum tempo, ele parou de repente e, com um tom dramático profundo, disse: "Mas... isso é o que o outro lado diz sobre este caso. Agora que sabemos quais são seus argumentos, vamos olhar para o outro lado do caso". Desse ponto em diante, esse advogado mexeu com a mente daquele júri como um violinista tocaria as cordas de seu instrumento, e em quinze minutos ele tinha a metade dos jurados em lágrimas. Quando terminou de falar, ele desabou em sua cadeira, aparentemente dominado pela emoção. O júri se retirou e, em menos de meia hora, voltou com um veredicto para seu cliente.

Se esse advogado tivesse começado expondo as fragilidades do caso de seu oponente e enaltecendo cedo demais para o júri os méritos de sua defesa, sem dúvida teria sofrido uma derrota. Mas, como descobri mais tarde, esse advogado foi aluno fiel de Shakespeare. Fazia uso da psicologia de Marco Antônio em quase todos os seus casos, e dizem que perdeu menos casos do que qualquer outro advogado na comunidade em que atuava.

Esse mesmo princípio é usado pelo vendedor bem-sucedido, que não só se abstém de "atacar" um concorrente, como também não mede esforços para falar bem dele. Ninguém deve se considerar um vendedor pronto antes de dominar a psicologia de Marco Antônio e aprender como aplicá-la. Esse discurso é uma das maiores lições de vendas já escritas. Se um vendedor perde uma venda, há uns 99% de chance de que ele a tenha perdido por falta de preparação adequada da mente do comprador em potencial. Ele passou muito tempo tentando "fechar" a venda, e não tempo suficiente "preparando" a mente do comprador. Tentou chegar ao clímax cedo demais. O vendedor de sucesso deve preparar a mente do comprador para receber sugestões sem questionar ou resistir a elas!

A mente humana é um assunto complexo. Uma de suas características é que todas as impressões que chegam à parte subconsciente são registradas em grupos que se harmonizam e, aparentemente, estão intimamente relacionados. Quando uma dessas impressões é chamada à mente consciente, há uma tendência para recordar todas as outras com ela. Por exemplo, um único ato ou palavra que faz surgir um sentimento de dúvida é suficiente para chamar à mente consciente todas as experiências que levaram o indivíduo a duvidar. Por meio da lei da associação, todas as emoções, experiências ou impressões sensoriais semelhantes que atingem a mente são registradas juntas, de modo que a lembrança de uma tende a trazer as outras à tona.

Assim como acontece quando uma pedrinha é lançada na água e começa uma sequência de ondulações que se multiplicam rapidamente, a mente subconsciente tende a trazer à consciência todas as emoções ou impressões sensoriais associadas ou intimamente relacionadas que armazenou, quando uma delas é despertada. Despertar um sentimento de dúvida na mente de uma pessoa tende a trazer à tona todas as experiências geradoras de dúvida que essa pessoa já teve. É por isso que os vendedores de sucesso se esforçam para ficar longe de assuntos que podem despertar as "impressões da cadeia de dúvidas" no comprador. O vendedor há muito aprendeu que "atacar" um concorrente pode despertar na mente consciente do comprador certas emoções negativas que podem impossibilitar para o vendedor a tarefa de "neutralizar" sua mente.

Esse princípio se aplica e controla todas as emoções e todas as impressões sensoriais alojadas na mente humana. Considere o sentimento de medo, por exemplo; no momento que permitimos que uma única emoção relacionada ao medo chegue à mente consciente, ela traz consigo todas as suas relações desagradáveis. Um sentimento de coragem não pode mobilizar a mente consciente enquanto houver um sentimento de medo. Um precisa substituir o outro. Eles não podem se tornar companheiros de quarto porque não se harmonizam. Cada pensamento mantido na mente consciente tem a tendência de atrair para si todos os outros pensamentos harmoniosos ou relacionados. Vemos, portanto, que esses sentimentos, pensamentos e emoções que chamam a atenção da mente consciente são apoiados por um exército regular de apoio pronto para ajudá-los em seu trabalho.

Coloque na mente de um homem, por meio do princípio da sugestão, a ambição de ter sucesso em qualquer empreendimento, e você verá que a capacidade latente do homem é despertada e seus poderes aumentam automaticamente. Plante na mente de seu filho, por meio do princípio da sugestão, a ambição de se tornar um advogado, médico, engenheiro ou empresário de sucesso e, se você afastar todas as influências contrárias, verá esse garoto atingir a meta desejada.

É muito mais fácil influenciar uma criança pela sugestão que um adulto, porque na mente de uma criança não existem tantas influências contrárias a serem eliminadas no processo de "neutralização" da mente, e ela é naturalmente mais crédula que uma pessoa mais velha.

No princípio da sugestão se encontra o grande caminho para o sucesso na organização e administração dos homens. O superintendente, encarregado, gerente ou presidente de uma organização que deixa de entender e usar esse princípio está se privando da força mais poderosa para influenciar seus homens.

Um dos gerentes mais capazes e eficientes que já conheci era um homem que nunca criticava um de seus homens. Pelo contrário, ele os lembrava constantemente de como estavam indo bem! Ele tinha o hábito de circular entre os funcionários, parando aqui e ali para colocar a mão no ombro de um deles e cumprimentá-lo pela maneira como estava melhorando. Não fazia diferença quanto o trabalho de um homem era ruim, esse gerente nunca o repreendia. Enquanto ele colocava constantemente na mente dos subordinados, por meio do princípio da sugestão, o pensamento de que "estavam melhorando", eles captavam a sugestão e eram rápida e efetivamente influenciados por ela.

Um dia, esse gerente parou na bancada de um homem cujo histórico mostrava queda de rendimento. O homem estava trabalhando em uma peça. O gerente pôs a mão no ombro dele e disse: "Jim, acredito que está fazendo um trabalho muito melhor do que na semana passada. Parece estar estabelecendo um ritmo animado para os outros rapazes. Estou gostando de ver. Vá em frente, meu rapaz, estou com você até o fim!".

Isso aconteceu por volta de uma hora da tarde. Naquela noite, a planilha de acompanhamento de Jim mostrava que ele havia produzido 25% mais que no dia anterior!

Se alguém duvida que maravilhas podem ser realizadas por meio do princípio da sugestão, é porque não dedicou tempo suficiente ao estudo do princípio para compreendê-lo.

Você não notou que o tipo amigável, entusiasmado, "leve", falante, "que conhece todo mundo" tem melhores resultados como líder de equipe em qualquer área do que aquele mais contido? Certamente, deve ter notado que o tipo rabugento, taciturno e pouco comunicativo nunca consegue atrair pessoas ou influenciá-las a cumprir suas ordens. O princípio da sugestão funciona constantemente, estejamos conscientes disso ou não. Por meio desse princípio, que é tão imutável quanto a lei da gravitação, influenciamos constantemente aqueles que nos rodeiam, fazendo com que absorvam o espírito que irradiamos e o reflitam em tudo que fazem.

Certamente você já percebeu como uma pessoa descontente projeta uma sombra de descontentamento sobre aqueles com quem se associa. Um agitador ou encrenqueiro pode perturbar toda uma força de trabalho e logo tornar seus serviços inúteis. Por sua vez, uma pessoa alegre, otimista, leal e entusiasmada influenciará toda uma organização e injetará nela o espírito que manifesta.

Sabendo disso ou não, estamos sempre transmitindo aos outros nossas emoções, sentimentos e pensamentos. Na maioria dos casos, isso é inconsciente. Em nossa próxima lição, mostraremos como fazer uso consciente desse grande princípio da sugestão, por meio da lei da retaliação.

Na próxima lição, mostraremos como "neutralizar" a mente e como garantir que as pessoas trabalhem em completa harmonia com você, por meio da aplicação do princípio da sugestão.

Nesta lição, você aprendeu um pouco sobre um dos grandes princípios da psicologia, que é a sugestão. Aprendeu que há duas etapas a serem seguidas na manipulação desse princípio:

Primeiro, você deve "neutralizar" a mente do sujeito antes de influenciá-la com pensamentos que deseja plantar nela, por meio de sugestão.

Em segundo lugar, para "neutralizar" uma mente, você deve produzir nela um estado de credulidade maior do que o normalmente mantido pelo sujeito.

Afortunado é aquele que controla seu egoísmo e o desejo de autoexpressão a ponto de estar disposto a transmitir as próprias ideias a outros sem insistir em apontar a origem dessas ideias. O homem que começa sua declaração com "Como você certamente sabe, Sr. Smith", em vez de "Vou dizer uma coisa que você não sabe, Sr. Smith", é um vendedor que sabe como usar o princípio da sugestão.

Um dos vendedores mais inteligentes e capazes que já conheci era um homem que raramente assumia o crédito por qualquer informação que passava aos seus compradores em potencial. Era sempre "Como você obviamente já sabe, fulano de tal". O esforço que algumas pessoas fazem para nos impressionar com seu conhecimento superior funciona como uma barreira negativa que é difícil superar no processo de tornar a mente "neutra". Em vez de "neutralizar" nossa mente, essas pessoas provocam nosso antagonismo e tornam impossível a operação do princípio da sugestão para nos influenciar.

Como um clímax adequado para esta lição, citarei um artigo escrito pelo Dr. Henry R. Rose, intitulado "The Mind Doctor at Work" (O médico da mente em ação). Esta é a explicação mais clara que já vi sobre o tema da sugestão, e fundamenta tudo que descobri em minha pesquisa sobre esse assunto.

Este artigo, por si só, constitui a melhor lição sobre sugestão que já vi:

> "Se minha esposa morrer, não vou acreditar que Deus existe." Sua esposa estava com pneumonia. Foi assim que ele me recebeu quando cheguei à sua casa. Ela mandara me chamar. O médico tinha dito que ela não poderia se recuperar. Ela chamou o marido e os dois filhos para perto da cama e se despediu deles. Depois pediu que eu, seu ministro, fosse chamado. Encontrei o marido chorando na sala e os filhos fazendo o possível para animá-lo. Entrei para ver a esposa. Ela respirava com dificuldade, e a enfermeira me disse que a paciente estava muito deprimida. Logo descobri que a Sra. N. havia me chamado para que eu cuidasse de seus dois filhos depois que ela partisse. Então disse a ela: "Você não deve desistir. Não vai morrer. Você sempre foi uma mulher forte e saudável, e não acredito que Deus quer que morra e deixe seus filhos para mim ou qualquer outra pessoa".
>
> Conversei com ela nesses termos, depois li o 103° Salmo e fiz uma oração na qual a preparei para ficar boa, em vez de entrar na eternidade. Disse a ela para depositar sua fé em Deus e projetar sua mente e vontade contra qualquer pensamento de morte. E então a deixei, dizendo que voltaria depois do culto na igreja. Isso aconteceu em uma manhã de domingo. Voltei à casa da família naquela tarde. O marido me recebeu com um sorriso. Ele disse que, no momento em que saí, a esposa o chamou ao quarto com os filhos e disse: "Dr. Rose diz que vou ficar boa, e eu vou".
>
> Ela ficou boa. Mas o que causou a cura? Duas coisas: sugestão de minha parte e confiança da parte dela. Cheguei

na hora certa, e sua fé em mim era tão grande, que consegui inspirar fé nela mesma. Foi essa fé que desequilibrou a balança e a fez superar a pneumonia. Nenhum medicamento pode curar a pneumonia. Os médicos admitem. Existem casos de pneumonia que nada pode curar. Todos concordamos com isso, infelizmente. Mas há momentos, como nesse caso, em que a mente, se trabalhada da maneira certa, faz a maré virar. Enquanto há vida, há esperança; mas a esperança deve ser soberana e fazer o bem que foi criada para fazer.

Outro caso notável: um médico me pediu para ver a Sra. H. Ele disse que não havia nada errado com ela, fisicamente, mas ela simplesmente não comia. Tendo decidido que não conseguia segurar nada no estômago, ela parou de comer e estava definhando lentamente. Fui visitá-la e descobri, primeiro, que essa mulher não tinha nenhuma crença religiosa. Havia perdido a fé em Deus. Também descobri que ela não confiava em sua capacidade de reter alimentos. Meu primeiro esforço foi restaurar sua fé no Todo-Poderoso e fazê-la acreditar que Ele estava com ela e lhe daria força. Depois disse que ela poderia comer qualquer coisa. É verdade que sua confiança em mim era grande e minha declaração a impressionou. Ela começou a comer a partir daquele dia! Saiu da cama três dias depois, pela primeira vez em semanas. Hoje é uma mulher normal. O que fez isso? As mesmas forças do caso anterior – sugestão externa e confiança interna.

Há momentos em que a mente adoece e faz o corpo adoecer. Nessas ocasiões, é necessária uma mente mais forte para curá-la, orientando-a e, principalmente, dando a ela confiança em si mesma. Isso é sugestão. É transmitir sua confiança e força a outra pessoa, e com tal intensidade, que a faça acreditar no que você quer e como quer. Não precisa ser hipnotismo. Você pode ter resultados maravilhosos com o paciente acordado e perfeitamente racional. Ele precisa acreditar em você, e você precisa conhecer o funcionamento da mente humana a fim de enfrentar seus argumentos e questionamentos e bani-los completamente. Cada um de nós pode ser um curador desse tipo e, assim, ajudar o próximo.

Agora é dever de homens e mulheres ler alguns dos melhores livros sobre a força da mente e aprender as coisas incríveis e gloriosas que a mente pode fazer para manter as pessoas bem ou restaurar sua saúde. Vemos as coisas terríveis que o pensamento errado causa às pessoas, chegando até a torná-las totalmente insanas. Já não é tempo de descobrirmos as coisas boas que o pensamento correto pode fazer e seu poder de curar não só transtornos mentais, mas também doenças físicas?

Não digo que a mente pode fazer tudo. Não há nenhuma evidência confiável de que certas formas de câncer tenham sido curadas pelo pensamento, pela fé ou por qualquer processo mental ou religioso. Para se curar do câncer, é preciso identificá-lo logo no início e tratá-lo cirurgicamente. Não há outra maneira, e eu me sentiria um criminoso se levasse qualquer leitor a negligenciar os primeiros sintomas dessa terrível doença com a ideia de superá-la pela sugestão mental. Mas a mente pode fazer tanto, com tantos tipos de indisposição e doença humana, que devemos confiar nela mais do que confiamos.

Durante a campanha no Egito, Napoleão circulava entre seus soldados que estavam morrendo às centenas de peste negra. Ele tocou um deles e ergueu um segundo, a fim de inspirar os outros a não terem medo, pois a terrível doença parecia espalhar-se tanto pela imaginação quanto por qualquer outra maneira. Goethe nos conta que ele foi a um lugar onde havia febre maligna e nunca a contraiu porque impôs sua vontade. Esses gigantes sabiam algo que aos poucos começamos a descobrir: o poder da autossugestão. Isso significa a influência que temos sobre nós mesmos ao acreditarmos que não podemos pegar uma doença ou adoecer. Há algo sobre a operação da mente automática que a coloca acima dos germes das doenças e os desafia quando decidimos não nos deixar amedrontar pensando nelas, ou quando andamos entre os enfermos, mesmo os contagiosos, sem pensar sobre isso.

Imaginação... certamente pode matar um homem. Há casos legítimos registrados de homens que morreram de verdade porque imaginaram que tinham a jugular cortada por uma faca, quando, na verdade, era um pedaço afiado de gelo, com água caindo para que pensassem que o sangue estava escorrendo do corpo. Eles foram vendados antes do início do experimento. Por mais que você esteja bem de manhã, quando for trabalhar, se todos que você encontrar disserem: "Que aparência doente", não vai demorar muito para você começar a se sentir doente, e se isso persistir durante o dia todo, você vai chegar em casa à noite abatido e sem energia, pronto para ir ao médico. Esse é o tamanho do poder fatal de imaginação ou autossugestão.

A primeira coisa, então, é lembrar que peças a imaginação pode pregar em você e permanecer alerta. Não se permita pensar que coisas horríveis estão acontecendo com você ou que serão um problema para você. Caso contrário, você vai sofrer.

Jovens estudantes de medicina pensam com frequência que têm todas as doenças que são discutidas ou analisadas em sala de aula. Alguns têm imaginações tão vívidas que chegam a contrair a doença. Sim, uma doença imaginária é perfeitamente possível e pode ser tão dolorosa quanto uma doença contraída de qualquer outra forma. Uma dor imaginária é tão dolorosa quanto qualquer outro tipo de dor. Nenhum medicamento pode curá-la. Precisa ser removida pela imaginação de que ela acabou.

O Dr. Schofield descreve o caso de uma mulher que tinha um tumor. Eles a colocaram na mesa de operação e lhe deram o anestésico. Imaginem só, o tumor desapareceu imediatamente. Nenhuma operação foi necessária. Mas quando ela voltou à consciência o tumor voltou! O médico soube, então, que ela morava com um parente que tinha um tumor real, e sua imaginação era tão grande que o havia imaginado em si mesma. Ela foi levada à mesa de operação novamente, recebeu anestésicos e foi enfaixada na região da barriga para que o tumor não pudesse retornar artificialmente. Quando acordou, foi informada de que havia sido realizada uma operação bem-sucedida, mas que teria que usar o curativo por vários dias. Ela acreditou no médico e, quando o curativo foi finalmente retirado, o tumor não voltou. Nenhuma operação foi realizada. Ele simplesmente aliviara seu subconsciente, e a imaginação não tinha mais nada em que trabalhar, exceto a ideia de saúde, e como ela nunca havia adoecido de fato, é claro que voltou ao normal.

Se o que você pensa e rumina pode ir tão longe a ponto de produzir uma imitação de tumor, não é possível ver como é preciso ter o cuidado de nunca imaginar que tem qualquer tipo de doença?

A melhor maneira de curar sua imaginação é à noite, antes de ir para a cama. À noite, a mente automática (subconsciente) tem tudo à sua maneira, e os pensamentos que você dá a ela antes que a mente diurna (mente consciente) vá dormir continuam trabalhando durante toda a noite. Pode parecer uma afirmação tola, mas comprove sua veracidade com o seguinte teste. Você quer se levantar às sete horas da manhã ou, digamos, alguma outra hora que não seja o horário em que se levanta normalmente. Agora diga a si mesmo ao ir para a cama: "Preciso me levantar às sete horas". Entregue esse pensamento à mente automática com absoluta confiança, e você vai acordar às sete horas. Isso acontece repetidamente, e acontece porque o eu subconsciente fica acordado a noite toda e, às sete horas, dá um tapinha em seu ombro, por assim dizer, e lhe acorda. Mas você precisa confiar nisso. Se tiver a menor dúvida de que vai acordar, é provável que isso interfira em todo o processo. A fé em seu mecanismo automático o faz operar exatamente como você determina antes de adormecer.

Aqui vai um grande segredo, e ele lhe ajudará a superar muitos defeitos e hábitos deploráveis. Diga a si mesmo que parou de se preocupar, beber, gaguejar, ou o que quiser parar, depois deixe o trabalho para a mente subconsciente à noite. Faça isso noite após noite, e anote, você vai vencer.

Resumo

Você aprendeu com esta lição que a sugestão é o princípio pelo qual podemos influenciar a mente e as ações de outras pessoas.

Aprendemos que a mente atrai o objeto ao qual mais se dedica. Aprendemos que a mente precisa ser "neutralizada" antes que possa ser influenciada pela sugestão, e aprendemos que, para que a mente possa ser "neutralizada", é necessário que exista um estado de credulidade maior do que o normal.

Aprendemos que o hipnotismo nada mais é que sugestão operando na mente que foi "neutralizada".

Aprendemos que a sugestão destrói de verdade células do corpo e desenvolve doenças, e que também restaura células do corpo e destrói germes de doenças.

Aprendemos que, por meio do princípio da sugestão, podemos fazer uma grande porcentagem de uma plateia sentir cheiro de menta quando, na verdade, esse odor nem está ao alcance da plateia.

Aprendemos que a confiança tem que ser criada na mente de uma pessoa antes que se possa "neutralizar" essa mente. Aprendemos que a simpatia humana é um fator importante para construir confiança e que podemos prontamente "neutralizar" a mente da pessoa por quem expressamos total simpatia ou amor.

Aprendemos que se obtêm resultados mais desejáveis (por meio da sugestão) quando se elogia um trabalhador, fazendo-o ter uma opinião favorável sobre si mesmo, do que com críticas.

Aprendemos a enorme vantagem de colocar nossas ideias e pensamentos na mente dos outros de tal forma que eles sintam que as criaram.

LIÇÃO 4

A lei da retaliação

Esta lição nos leva à discussão de um dos princípios mais importantes da psicologia, a lei da retaliação, a seguir:

A mente humana se assemelha à mãe terra no sentido de que reproduz em espécie o que nela é plantado por meio dos cinco sentidos físicos. A tendência preponderante por parte da mente é "retaliar na mesma moeda", retribuindo todos os atos de bondade e ressentindo-se contra todos os atos de injustiça e grosseria. Agindo pelo princípio da sugestão ou da autossugestão, a mente comanda a ação muscular que se harmoniza com as impressões sensoriais que recebe; portanto, se você deseja que eu "responda na mesma moeda", deve colocar em minha mente as impressões sensoriais ou sugestões a partir das quais deseja que eu crie a ação muscular apropriada necessária. Desagrade-me ou machuque-me e, como um raio, minha mente vai comandar a ação muscular apropriada, "respondendo na mesma moeda".

Ao estudar a lei da retaliação, somos levados, em certa medida, ao que poderíamos chamar de campo dos fenômenos mentais desconhecidos – o campo da física. Os fenômenos descobertos nesse grande campo não foram reduzidos a uma ciência, mas, lembre-se, devemos ter em mente o fato de que isso não nos impede de fazer uso prático de certos princípios que descobrimos nesse campo, embora não possamos rastreá-los até a causa original. Um desses princípios é aquele que relacionamos acima como nosso quarto princípio geral da psicologia, ou seja, "os semelhantes se atraem".

Nenhum cientista jamais explicou satisfatoriamente esse princípio, mas ainda é um princípio conhecido; portanto, assim como fazemos uso inteligente da eletricidade sem saber o que é, façamos também uso inteligente do princípio da retaliação.

É um sinal animador ver que os escritores modernos estão dando cada vez mais atenção ao estudo da lei da retaliação. Alguns chamam de uma coisa e outros de outra, mas todos parecem concordar com o fundamento do princípio, que é: "Os semelhantes se atraem!".

O último escritor a se dedicar a esse assunto foi a Sra. Woodrow Wilson. Aqui está seu artigo:

> Parece haver uma lei mental que determina que tudo que em geral ocupa a mente quase certamente vai tomar forma no objetivo. Cada um de nós comprova essa lei com sua experiência dezenas de vezes.
>
> Por exemplo, você pode encontrar uma palavra com a qual não está familiarizado. Até onde sabe, nunca a ouviu ou viu antes e, no entanto, depois de descobri-la, você a encontrará repetidas vezes.
>
> Esse fato recentemente ocorreu comigo de uma forma estranha. Tenho feito muitas leituras e pesquisas sobre um assunto que me interessa, mas, por certo, nunca seria classificado como matéria digna dos jornais. Não me lembro de tê-lo visto mencionado em nenhuma publicação atual, mas, desde que comecei a estudá-lo, recortei muitos artigos de várias revistas e jornais tratando de uma fase ou outra do tema.
>
> Você pode acompanhar com facilidade o funcionamento desta lei, seja ela o que for, nos mínimos detalhes.

Uma amiga veio me visitar um ou dois dias atrás e ficou paralisada na soleira da minha sala de estar.

"Flores!", ela exclamou. "Rosas?"

Havia tanto horror em seu tom que pensei que me reprovava por comprar alguma coisa que não fossem selos baratos. Ela explicou, no entanto, que estava sofrendo com a alergia a rosas, algo que atinge todos os anos quem padece desse mal, assim como a febre do feno.

"Chega em junho", disse ela, 'quando as rosas estão desabrochando, e a mais leve brisa com esse perfume me faz espirrar por vinte minutos.'

"É uma doença bastante rara, não é?", perguntei depois de tirar minhas flores de vista.

"Nem um pouco", ela respondeu. "Muito comum. Todas as outras pessoas que conheço a têm."

Pois bem, encontro tantas pessoas quanto ela ao longo do dia, talvez mais, e exceto ela mesma, não conheço ninguém que sofra dessa doença.

E ainda, por que, se nos pegamos pensando constantemente em alguma pessoa em particular, ficamos muito propensos a ouvir notícias dela ou encontrá-la em pouco tempo? Podemos não ter pensado nela durante meses ou anos, e ainda "contemplar sua sombra no chão".

Sei que existem várias explicações para esses fenômenos, mas nenhuma delas é inteiramente satisfatória. O efeito, no entanto, é como se, sem termos consciência disso, enviássemos mensagens sem fio ao universo e recebêssemos as respostas. Semelhante procura semelhante.

Isso não explica o fato de pessoas com queixas estarem sempre bem supridas de material para novas reclamações, de as pessoas enlutadas terem muito pelo que chorar, de a mais terrível das pragas, o homem ou mulher que guarda um ressentimento, invariavelmente, despertar no peito do observador doce e inocente um desejo ardente de acabar com essa aflição?

Todos nós conhecemos pessoas que são naturalmente sortudas.

Tudo parece acontecer de maneira a favorecê-las. Elas não precisam subir em árvores e se esforçar para colher as frutas dos galhos. Simplesmente estendem a mão, e as ameixas caem nela.

Recentemente ouvi uma mulher reclamando das desigualdades do destino e comparando sua sorte à de uma conhecida.

"Basta olhar para ela", disse. "Tenho trabalhado, me preocupado, planejado e produzido durante anos. Qualquer coisa que conquisto é fruto do mais árduo esforço e, geralmente, só acontece depois de milhares de decepções. Mas ela, embora não tenha nem a metade da minha inteligência, nem seja uma trabalhadora tão esforçada, ainda é uma espécie de ímã que atrai as coisas boas que passam voando por mim. Não existe justiça."

Mas ela afirmava a justiça da lei, ao mesmo tempo que a negava. Conheço a mulher sortuda tão bem quanto conhecia a azarada. A diferença entre as duas era que uma estava sempre esperando o pior e se preparando para isso, e a outra ansiava por coisas boas e agradáveis. Ela as aceitava naturalmente e as fazia bem-vindas. Para ela, o amanhã era sempre melhor.

"Todos temos dias em que tudo dá errado. Certamente, não há nenhum poder maligno tentando nos prejudicar e fazer-nos infelizes, embora muitas vezes seja mais fácil acreditar nisso do que entender por que circunstâncias perturbadoras devem se suceder desde o amanhecer até a noite."

Não é preciso ser mestre em psicologia para aceitar a verdade do artigo da Sra. Woodrow Wilson – uma verdade que todos nós experimentamos, mas à qual muitos atribuem pouco ou nenhum significado.

Não é com nenhum espírito de irreverência que coloco a prece, essa poderosa operadora de milagres, no grande campo dos fenômenos desconhecidos. Eu acredito firmemente na oração! Ela fez maravilhas por mim, mas não sei absolutamente nada sobre o motivo original para fazermos nossos apelos por meio da oração. Mas uma coisa eu sei: por meio de um esforço consistente e persistente, a oração remove todos os obstáculos e força problemas aparentemente insondáveis a revelar seus segredos!

Durante quatro anos, orei com persistência pela verdade que estava escondida no que parecia ser um segredo impenetrável no coração de outra pessoa. A informação que eu queria era conhecida apenas por outra pessoa. A própria natureza da informação quase exigia que ela fosse mantida inviolável para sempre. Perto do fim do quarto ano, levei minhas orações um passo além do que jamais havia feito antes: decidi fechar os olhos e visualizar uma imagem da informação exata que eu queria. Por mais estranho que possa parecer, mal fechei os olhos e os contornos da imagem começaram a se desenhar em minha consciência e, em dois ou três minutos, tive minha resposta!

Achei aquilo tão estranho que, de início, acreditei que era só uma alucinação, mas não tive que esperar muito para constatar meu erro. No dia seguinte, encontrei a pessoa em cujo coração o segredo estava trancado, e essa pessoa me disse que, por quatro anos alguma força estranha esteve manipulando seu coração, tentando induzi-la a me contar uma história que agora ela queria revelar a mim. Essa história continha a informação que eu queria e pela qual havia orado durante quatro anos!

Alguns diriam que o Poder Divino produziu esse resultado notável, enquanto outros seriam propensos a explicá-lo pela telepatia. Minha opinião é que cada vibração de pensamento que foi produzida em minha mente sobre o assunto, no momento da oração, foi registrada na mente subconsciente da outra pessoa, tendo viajado pelas etéreas correntes de ar, assim como as vibrações enviadas por um equipamento sem fio viajam de um instrumento para outro, e essas vibrações de pensamento finalmente causaram na mente da outra pessoa a mudança alquímica que resultou na decisão de me dar a informação que eu queria. Veja bem, eu disse que acredito que foi isso que aconteceu, mas não me arrisco a sugerir a causa original que tornou possível a transmissão do pensamento pelo ar!

Em outra ocasião, que é o extremo oposto desta, consegui um resultado notável por meio da oração em menos de um minuto e meio. Uma importante transação comercial estava em andamento, eu havia feito uma oferta e ela havia sido recusada com frieza. A pessoa a quem a oferta foi feita se ausentou de seu escritório por não mais que um minuto e meio. Enquanto ela estava fora, enviei uma mensagem por meio do que chamamos de oração, na qual pedia a reversão de sua decisão. A pessoa voltou e anunciou, sem que eu dissesse uma palavra, que havia mudado de ideia e aceitaria minha oferta.

Antes de nos afastarmos do assunto dos "fenômenos desconhecidos", quero lembrar mais uma vez que este curso de instrução científica não tem relação alguma com nenhuma fé religiosa, e sempre que nos referirmos, direta ou indiretamente, a qualquer assunto relacionado à religião, é só para fins de comparação.

Milhões de pessoas encontraram felicidade e contentamento por meio do grande fenômeno desconhecido que chamamos de oração.

Não pretendo fazer ninguém mudar sua crença na oração. Pelo contrário, faria tudo que pudesse para fortalecer essa crença!

Nem tenho a intenção de reduzir a oração a um fenômeno puramente científico. Se nossas orações produzem resultados tão maravilhosos, como sabemos que produzem, por meio do princípio da autossugestão ou pela influência de forças divinas externas sobre as quais não temos controle, isso é pouco importante. Temos aptidão para orar com mais *fé* e *persistência* ao direcionar nossas orações à fonte Divina, e isso, por si só, justifica nossa decisão de não adotar o princípio científico da autossugestão como uma explicação do grande fenômeno da oração.

Em um final de tarde, eu estava sentado à minha mesa esperando a Sra. Hill se juntar a mim. O pessoal do escritório tinha saído, e eu era a única pessoa na sala. Inclinei-me e descansei o rosto nas mãos, cobrindo os olhos com as pontas dos dedos. Veja bem, eu não estava dormindo, pois não fazia mais de trinta segundos que estava naquela posição. Então aconteceu uma coisa estranha. Estava quase na hora de a Sra. Hill chegar. Eu a ouvi gritar! Eu a vi ser atropelada por um automóvel. Vi um policial levantá-la do chão e colocá-la na calçada. Vi o sangue em seu rosto.

Eu abri meus olhos e olhei em volta. Não poderia ter sido um sonho porque eu não estava dormindo. Logo ouvi os passos da Sra. Hill. Ela estava agitada e quase sem fôlego. Sim, quase tinha sido atropelada por um automóvel no mesmo local onde a vi. Ela gritou, e o policial a puxou de volta para a calçada, exatamente como eu tinha visto. E, pelo que pudemos avaliar, tudo isso aconteceu no exato momento em que vi a cena, sentado à minha mesa com os olhos fechados, a um quarteirão do local!

No estado de Illinois, perto da cidade de Chicago, há alguns anos, um fazendeiro saiu de casa certa manhã e foi para o campo trabalhar.

Ele havia percorrido uma curta distância, quando teve uma sensação estranha, que o impeliu a voltar para casa. No início ele não deu muita atenção, mas ela foi ficando mais forte e mais insistente. Finalmente, ele não conseguiu mais seguir em frente, deu meia-volta e começou a andar em direção à casa. Quanto mais se aproximava, mais rápido ele queria andar, até que finalmente começou a correr. Quando entrou na casa, ele encontrou sua filha deitada no chão com a garganta cortada. O agressor tinha ido embora poucos segundos antes de sua chegada.

Não sabemos o que causou esses fenômenos estranhos, a menos que tenha sido telepatia. Esses dois casos são citados porque ambos são legítimos. Eu poderia citar mais de uma dúzia de casos semelhantes que teriam forte tendência para provar a existência da telepatia, pela qual os pensamentos realmente passam de uma mente para outra, assim como a vibração passa de um instrumento para outro por meio do telégrafo sem fio. É claro que essas mentes devem estar harmoniosamente sintonizadas umas com as outras, assim como os instrumentos sem fio devem estar adequadamente sintonizados, ou os pensamentos não serão registrados.

Esses exemplos do que poderíamos chamar de fenômenos desconhecidos são mencionados nesta lição porque queremos que você pare e considere quais são as possibilidades de fazer uso prático da lei da retaliação, que opera diretamente por meio dos cinco sentidos físicos. Não temos que depender de fenômenos desconhecidos ou telepatia, que são só superficialmente entendidos neste momento; podemos alcançar e influenciar de forma direta a mente humana por meio da lei da retaliação e do princípio da sugestão. A sugestão é o meio pelo qual alcançamos a mente de outra pessoa, e a lei da retaliação é o princípio pelo qual plantamos nela a semente que desejamos ver criar raízes e crescer.

Você sabe o que significa *retaliar*!

No sentido em que estamos usando a palavra aqui, significa "devolver na mesma moeda", e não só para buscar vingança, como normalmente é usada essa palavra.

Se eu ferir você, você retalia na primeira oportunidade. Se eu disser coisas injustas sobre você, você retalia na mesma moeda, até mais intensamente!

No entanto, se eu lhe fizer um favor, você retribuirá em medida ainda maior, se possível.

Assim, seguimos o impulso da nossa natureza, por meio da "lei da retaliação"!

Com o uso adequado dessa lei, posso induzir alguém a fazer tudo que eu quiser. Se quero que você não goste de mim e use sua influência para me prejudicar, posso conseguir esse resultado tratando você como quero que me trate por meio de retaliação.

Se desejo seu respeito, sua amizade e sua cooperação, posso obtê-los estendendo a você minha amizade e cooperação.

Nessas declarações, sei que estamos juntos. Você pode comparar essas afirmações com sua experiência e vai ver que se harmonizam perfeitamente.

Quantas vezes você já ouviu a observação: "Que personalidade maravilhosa essa pessoa tem". Com que frequência conheceu pessoas cuja personalidade invejou?

O homem que atrai outra pessoa por meio de sua personalidade agradável está apenas usando a lei da atração harmoniosa ou a lei da retaliação, e ambas, quando analisadas, significam que "os semelhantes se atraem".

Se você estudar, compreender e usar com inteligência a lei da retaliação, será um vendedor eficiente e bem-sucedido. Depois de dominar essa lei simples e aprender como usá-la, terá aprendido tudo que se pode aprender sobre vendas.

O primeiro e, provavelmente, mais importante passo a ser dado para dominar essa lei é cultivar o autocontrole. Você deve aprender a enfrentar todo tipo de punição e abuso sem retaliar da mesma maneira. Esse autocontrole é parte do preço que se deve pagar pelo domínio da lei da retaliação.

Quando uma pessoa irada começar a difamar e abusar de você, justa ou injustamente, lembre-se apenas de que, se retaliar da mesma maneira, será puxado para baixo, para o nível mental dessa pessoa; portanto, essa pessoa estará dominando você!

Contudo, se você se recusa a ficar com raiva, se mantém a compostura e permanece calmo e sereno, conserva todas as suas faculdades comuns de raciocínio. Você pega o outro de surpresa. Você retalia com uma arma cujo uso ele não conhece; consequentemente, você o domina com facilidade.

Os semelhantes se atraem! Não há como negar!

Falando literalmente, cada pessoa com quem você entra em contato é um espelho mental no qual você pode ver um reflexo perfeito de sua própria atitude mental.

Como exemplo de aplicação direta da lei de retaliação, citemos uma experiência que tive recentemente com meus dois filhos pequenos, Napoleon Junior e James.

Estávamos a caminho do parque para alimentar os pássaros e os esquilos. Napoleon Junior comprou um saco de amendoins, e James comprou uma caixa de pipoca doce industrializada. James pensou em provar os amendoins. Sem pedir permissão, ele estendeu a mão e pegou a embalagem. Ele errou, e Napoleon Junior "retaliou" com o punho esquerdo, que acertou o queixo de James com bastante rapidez.

Eu disse a James: "Escute, filho, você não agiu da maneira certa para conseguir os amendoins. Vou mostrar como pode tê-los". Tudo aconteceu tão rápido que, quando falei, eu não tinha a menor ideia do que iria sugerir a James, mas ganhei tempo para analisar a ocorrência e descobrir um jeito melhor do que o adotado por ele, se possível.

Então pensei nas experiências que estávamos fazendo em relação à lei da retaliação e disse a James: "Abra sua caixa de pipocas, ofereça ao seu irmão mais novo e veja o que acontece". Depois de muito insistir, eu o convenci a fazer o que sugeria. Então, algo notável aconteceu – um acontecimento com o qual aprendi minha maior lição de vendedor! Antes que Napoleon Junior tocasse na pipoca, ele insistiu em despejar um pouco de seus amendoins no bolso do casaco de James. Ele "retaliou na mesma moeda"! Com esse experimento simples, com dois meninos pequenos, aprendi mais sobre a arte de lidar com eles do que poderia ter aprendido de qualquer outra maneira. A propósito, meus meninos estão começando a aprender como manipular essa lei de retaliação, o que os poupa de muitos combates físicos.

Nenhum de nós avançou muito mais que Napoleão Junior e James no que diz respeito à operação e influência da lei de retaliação. Somos todos apenas crianças crescidas e fáceis de influenciar por esse princípio. O hábito de "retaliação na mesma moeda" é praticado universalmente entre nós e podemos chamar esse hábito de lei da retaliação. Se uma pessoa nos oferece um presente, não ficamos satisfeitos enquanto não "retaliamos" com algo tão bom ou melhor do que aquilo que ganhamos. Se uma pessoa fala bem de nós, nossa admiração por essa pessoa cresce e "retaliamos"!

Por meio do princípio da retaliação, podemos realmente converter nossos inimigos em amigos leais. Se você tem um inimigo que deseja converter em amigo, pode comprovar essa afirmação se esquecer essa perigosa pedra perigosa pendurada em seu pescoço, o "orgulho" (teimosia). Crie o hábito de falar com esse inimigo com uma cordialidade incomum. Faça um esforço para dar atenção a ele de todas as maneiras possíveis. De início ele parece imbatível, mas aos poucos vai ceder à sua influência e "retaliar na mesma moeda"! O que mais pesa na consciência de alguém que fez mal a outra pessoa é a bondade humana.

Certa manhã de agosto de 1863, um jovem clérigo foi tirado da cama em um hotel em Lawrence, Kansas. O homem que o acordou era um dos guerrilheiros de Quantrell, e queria que ele descesse a escada correndo e levasse um tiro. Naquela manhã, pessoas eram assassinadas ao longo de toda a fronteira. Um bando de invasores havia chegado cedo a cavalo para perpetrar o massacre de Lawrence.

O guerrilheiro que acordou o clérigo estava impaciente. Quando acordou completamente, o religioso ficou horrorizado com o que viu pela janela. Quando ele desceu a escada, o guerrilheiro exigiu seu relógio e dinheiro, depois quis saber se ele era abolicionista. O clérigo tremia. Mas ele decidiu que, se iria morrer ali, naquele momento, não morreria mentindo. Então respondeu que sim, e concluiu com um comentário que desviou imediatamente toda a situação para outra via.

Ele e o guerrilheiro sentaram na varanda, enquanto pessoas eram mortas pela cidade, e tiveram uma longa conversa. Conversaram até que os invasores estavam prontos para partir. Quando o guerrilheiro que falava com o clérigo montou para se juntar aos confederados, estava na defensiva. Ele devolveu os objetos de valor do religioso, desculpou-se por incomodá-lo e pediu para que não pensasse mal dele.

Esse clérigo viveu muitos anos após o massacre de Lawrence. O que ele disse ao guerrilheiro? O que havia em sua personalidade que levou o atacante a sentar e conversar? Sobre o que falaram?

"Você é um abolicionista ianque?", perguntou o guerrilheiro. "Sim, eu sou", foi a resposta, "e você sabe muito bem que deveria ter vergonha do que está fazendo".

Isso levou o assunto diretamente a uma questão moral. Atingiu profundamente o guerrilheiro. O clérigo era só um adolescente, comparado a esse experiente bandido da fronteira. Mas jogou o fardo da prova moral sobre o invasor e, em um momento, o guerrilheiro tentava demonstrar que poderia ser um sujeito melhor do que as circunstâncias pareciam indicar.

Depois de acordar esse religioso para matá-lo por causa de sua posição política, ele passou vinte minutos no banco das testemunhas tentando se justificar. Falou detalhadamente de sua história pessoal. Explicou as coisas desde a época em que era um garotinho durão que se recusava a fazer suas orações e ficou bastante emocionado ao lembrar como uma coisa levou à outra, e essa a algo pior, até que... bem, ali estava ele, e "era um péssimo lugar para estar, parceiro". A última coisa que pediu antes de partir foi: "É isso, parceiro, não pense muito mal de mim, pode ser?".

De The Lawrence Massacre by a Band of Missouri Ruffians Under Quantrell,
por J. S. Boughton e Richard Cordley

O clérigo da Nova Inglaterra usou a lei da retaliação, sabendo disso ou não, naquele momento. Imagine o que teria acontecido se ele tivesse descido a escada com um revólver na mão e começado a enfrentar força física com força física!

Mas ele não fez isso! Dominou o guerrilheiro porque o enfrentou com uma força desconhecida pelo bandido.

Por que, quando um homem começa a ganhar dinheiro, o mundo inteiro parece bater à sua porta?

Pergunte a qualquer pessoa que você conhece e seja financeiramente bem-sucedida, e ela lhe dirá que é constantemente procurada e que oportunidades de ganhar dinheiro são oferecidas a ela com frequência!

"Pois ao que tem, mais será dado, e terá em grande quantidade. Mas a quem não tem, até o que tem lhe será tirado." (Mateus 25:29).

Eu achava essa citação da Bíblia ridícula, mas como é verdadeira, quando reduzida ao seu significado concreto.

Sim, "*ao que tem, mais será dado*"! Se "tem" falhas, falta de autoconfiança, ódio ou falta de autocontrole, a ele essas qualidades serão dadas em abundância ainda maior! Mas, se "tem" sucesso, autoconfiança, autocontrole, paciência e persistência, para ele essas qualidades serão aumentadas!

Às vezes pode ser necessário enfrentar a força com força até derrotarmos nosso oponente ou adversário, mas quando ele estiver caído, esse é um momento esplêndido para completar a "retaliação" pegando-o pela mão e mostrando a ele um jeito melhor de resolver disputas.

Os semelhantes se atraem! A Alemanha procurou banhar sua espada em sangue humano em uma aventura impiedosa de conquista. O resultado disso foi que atraiu a "retaliação na mesma moeda" da maior parte do mundo civilizado.

Cabe a você decidir o que quer que seus semelhantes façam e induzi-los a isso por meio da lei da retaliação!

"A economia Divina é automática e muito simples: recebemos apenas o que damos."

Como é verdadeiro que "recebemos apenas o que damos"! Não é o que *desejamos* receber de volta, mas o que *damos*.

Imploro a você que faça uso dessa lei, não só para ganho material, mas, melhor ainda, para a conquista de felicidade e boa vontade para com os homens.

Afinal, esse é o único sucesso real pelo qual se empenhar.

Resumo

Nesta lição aprendemos um grande princípio – provavelmente o mais importante dos grandes princípios da psicologia! Aprendemos que nossos pensamentos e ações em relação aos outros se assemelham a um ímã que atrai o mesmo tipo de pensamento e o mesmo tipo de ação que criamos.

Aprendemos que "os semelhantes se atraem", seja no pensamento ou na expressão do pensamento pela ação corporal. Aprendemos que a mente humana responde da mesma forma a quaisquer impressões de pensamento que recebe. Aprendemos que a mente humana se assemelha à mãe terra à medida que reproduz uma safra de ação muscular que corresponde, em espécie, às impressões sensoriais nela plantadas. Aprendemos que gentileza gera gentileza, e crueldade e injustiça geram crueldade e injustiça.

Aprendemos que nossas ações com os outros, sejam de bondade ou indelicadeza, justiça ou injustiça, voltam para nós em medida ainda maior! Aprendemos que a mente humana responde da mesma forma a todas as impressões sensoriais que recebe; portanto, sabemos o que devemos fazer para influenciar qualquer ação que desejamos ver em outra pessoa. Aprendemos que "orgulho" e "teimosia" devem ser afastados antes que possamos usar a lei da retaliação de maneira construtiva. Não aprendemos o que é a lei da retaliação, mas aprendemos como funciona e o que faz; portanto, resta apenas fazer um uso inteligente desse grande princípio.

Comprimidos para pessimistas (Pills for Pessimists)

J. W. Wigelsworth, D.N.

A preocupação maligna prejudica mais digestões que o uísque.

Agitação, raiva, medo, e o que se aprende?

Normalmente, nada.

Todos esses fatores são evidências puras e simples de ignorância ou distorção corporal.

Seu corpo é influenciado pela mente.

Sua mente é influenciada pelo corpo.

Uma mente destreinada se preocupa.

Um corpo doente estimula a preocupação.

Os pensamentos de um preocupado são caóticos.

Atropelam-se, um empurra o outro e tudo se desorganiza. É pensamento descontrolado.

Preocupados são como navios no oceano revolto, jogados daqui para lá sem nenhum autocontrole.

O preocupado é fisicamente desorganizado ou demonstra sua falta de confiança em Deus preocupando-se.

A preocupação é covardia, se seu corpo está bem.

E, além disso, "sou um homem velho e tenho me preocupado muito com coisas que nunca aconteceram".

O medo nos congela e coloca nossas funções na geladeira.

Você para quando tem medo.

Você esfria seus sinais vitais e paralisa como um ser congelado.

O que é o medo? Apenas "estou com medo":

Você precisa enfrentar a música da vida.

Seu futuro não é hoje, mas hoje faz seu futuro.

Preocupação e medo constituem um futuro adequado para eles mesmos.

Se você quer ficar doente – quer desvitalizar e destruir seu corpo – então sinta medo e se preocupe com as coisas.

É um método seguro de construir um futuro doente. *Deixe isso se espalhar.*

O ódio é ímpio e arruína nossos corpos e mentes.

A beleza é "superficial", dizem eles.

Beleza "superficial" torna-se feiura "superficial", encorpada, destruidora de disposição sob a varinha mágica do ódio.

O ódio é algo desprezível, degradante, incivilizado e detestável.

A mulher na sarjeta, nas posições mais inferiores da vida, é uma rainha ao lado de quem odeia.

Você não consegue ser bom.

Você não consegue ser razoável.

Você não consegue pensar.

Você não consegue comer.

O ódio e seu corpo mostrarão sua marca - assim como seu futuro.

Você não consegue fazer o bem.

Você não pode ter equilíbrio – e sentir inveja.

Você deve considerar sua mente sagrada. Se a profana com ciúme, fica feio, mentalmente instável e se torna um membro indesejável da sociedade.

Estes quatro – preocupação, medo, ódio e ciúme – são os destruidores da boa saúde.

Seu corpo e sua mente precisam estar bem para haver saúde.

Um corpo doentio cria uma mente doentia.

Uma mente doentia cria um corpo doentio.

Um verdadeiro médico deve levar essas coisas em consideração.

Bons pensamentos conduzem à saúde, à riqueza e à felicidade.

Pensamentos ruins levam à doença, à pobreza e ao inferno.

Olhe para o espelho e sorria para si mesmo.

LIÇÃO 5

O poder da sua mente

A mente humana é composta de muitas qualidades e propensões. Consiste em gostos e desgostos, otimismo e pessimismo, ódio e amor, capacidade de construir e destruir, bondade e crueldade. A mente é composta de todas essas qualidades e muito mais. É uma mistura de todas elas, e algumas mentes demonstram o domínio de uma dessas qualidades, enquanto em outras o domínio é de outras qualidades.

Aprenda a usar essa sua mente maravilhosa

As qualidades dominantes são amplamente determinadas pelo ambiente de cada um, treinamento e outros elementos associados, e, em particular, pelos próprios pensamentos! Qualquer pensamento mantido constantemente na mente, ou qualquer pensamento tratado com concentração e trazido à mente consciente com frequência atrai as qualidades da mente humana com as quais mais se assemelha.

O pensamento é como uma semente plantada no solo, na medida em que produz frutos de sua espécie, multiplica-se e cresce; portanto, é perigoso permitir que a mente retenha qualquer pensamento destrutivo. Esses pensamentos devem, mais cedo ou mais tarde, buscar liberação pela ação física.

Pelo princípio da autossugestão – isto é, pensamentos mantidos na mente e nos quais o indivíduo se concentra – qualquer pensamento logo começa a se cristalizar em ação.

Se o princípio de autossugestão fosse geralmente compreendido e ensinado nas escolas públicas, mudaria todos os padrões morais e econômicos do mundo em vinte anos. Por meio desse princípio, a mente humana pode se livrar de suas tendências destrutivas, concentrando-se constantemente em suas tendências construtivas. As qualidades da mente humana precisam da luz solar para se nutrir e devem ser utilizadas para que se mantenham vivas. Em todo o universo, existe uma lei de alimentação e uso que se aplica a tudo o que vive e cresce. Essa lei decretou que todo ser vivo que não é nutrido nem usado deve morrer, e isso se aplica às qualidades da mente humana que mencionamos.

A única maneira de desenvolver qualquer qualidade da mente é concentrar-se nela, pensar nela e usá-la. As tendências más da mente podem ser ofuscadas matando-as de desnutrição pelo desuso!

Qual seria a importância para a mente jovem e plástica da criança compreender esse princípio e começar a usá-lo desde cedo, a partir do jardim de infância?

O princípio da autossugestão é uma das principais leis fundamentais da psicologia aplicada. Por meio de uma compreensão adequada desse princípio e com a cooperação de escritores, filósofos, professores e pregadores, toda a tendência da mente humana pode ser direcionada para o esforço construtivo dentro de vinte anos ou menos.

O que você vai fazer a respeito?

Não poderia ser um bom plano, no que diz respeito a você individualmente, em vez de esperar que alguém inicie um movimento pela educação geral nessa linha, começar agora a usar esse princípio em seu benefício e das pessoas com quem convive?

Seus filhos podem não ter a sorte de receber esse treinamento na escola, mas não há nada que impeça você de ministrá-lo em sua casa.

Você pode ter sido infeliz por nunca ter tido a oportunidade de estudar e entender o princípio da autossugestão quando frequentava a escola, mas não há nada que lhe impeça de estudar, compreender e aplicar esse princípio para o seu próprio bem de agora em diante.

Aprenda algo sobre essa máquina maravilhosa que chamamos de mente humana. Ela é sua verdadeira fonte de poder. Se algum dia você quiser se livrar de preocupações mesquinhas e necessidades financeiras, será por meio dos esforços dessa sua mente maravilhosa.

Hill ainda era um homem jovem na época em que editou a *Hill's Golden Rule* e a *Hill's Magazine*, mas possuía evidências positivas em muitos milhares de casos de transformação de homens e mulheres do fracasso ao sucesso em períodos notavelmente curtos, que variam de algumas horas a alguns meses.

O livro que você tem nas mãos é a prova concreta da solidez do argumento de que o indivíduo pode controlar seu destino econômico, porque ela é um sucesso que foi construído ao longo de quinze anos de fracasso!

Você pode transformar seu passado de fracassos em sucesso, se compreender e aplicar de forma inteligente os princípios da psicologia aplicada. Pode chegar aonde quiser na vida. Pode encontrar a felicidade instantaneamente, uma vez que tenha dominado esse princípio, e pode ter sucesso financeiro com a mesma rapidez com que cumpre as práticas estabelecidas e os princípios da economia.

Não há nada que sugira ocultismo na mente humana. Ela funciona em harmonia com as leis e os princípios físicos e econômicos. Você não precisa da ajuda de ninguém para manipular sua mente, para que ela funcione como você deseja. Sua mente é algo que você controla, não importa qual seja sua posição na vida, desde que sempre exerça esse direito, em vez de permitir que outros o exerçam por você.

Aprenda algo sobre os poderes de sua mente. Isso libertará você da maldição do medo e lhe encherá de inspiração e coragem.

Como atrair pessoas por meio da lei de retaliação

Alcançar a fama ou acumular uma grande fortuna requer a cooperação de seus semelhantes. Qualquer posição que alguém ocupe e qualquer fortuna que adquira deve, para ser permanente, contar com a tolerância de seus semelhantes.

Não seria mais fácil permanecer em uma posição de destaque sem a boa vontade da vizinhança do que seria voar para a lua, e quanto a conservar uma grande fortuna sem o consentimento de seus semelhantes, seria impossível, não apenas mantê-la, mas adquiri-la em primeiro lugar, exceto por herança.

Desfrutar pacificamente de dinheiro ou posição certamente depende do quanto você atrai pessoas. Não é necessário ser um filósofo para ver que um homem que desfruta da boa vontade de todos com quem entra em contato pode ter qualquer coisa que esteja ao alcance das pessoas com quem ele se associa.

O caminho, então, para a fama e fortuna, ou uma delas, passa direto pelo coração de nossos semelhantes.

Talvez existam outras maneiras de conquistar a boa vontade de seus semelhantes, sem ser pelo uso da lei de retaliação, mas, se existem, este escritor nunca as descobriu.

Por meio da lei da retaliação, você pode induzir as pessoas a retribuírem o que você deu a elas. Não há suposições sobre isso, nenhum elemento de acaso, nenhuma incerteza.

Vamos ver como podemos controlar essa lei para que ela funcione a nosso favor e não contra nós. Para começar, não precisamos dizer que a tendência do coração humano é contra-atacar, devolvendo golpe a golpe cada esforço, seja de cooperação ou de antagonismo.

Antagonize uma pessoa e, tão certo quanto dois mais dois são quatro, essa pessoa retaliará na mesma moeda. Faça amizade com uma pessoa ou dedique a ela algum ato de bondade, e ela também retribuirá na mesma moeda.

Não dê importância à pessoa que não responde de acordo com esse princípio. Ela é apenas a exceção do provérbio. Pela lei das médias, a grande maioria das pessoas responderá quase inconscientemente.

O homem que carrega ressentimentos encontra uma dúzia de pessoas por dia que sente prazer em derrubá-lo, um fato que você pode facilmente comprovar, se alguma vez tentou andar por aí carregando algum rancor. Você não precisa de provas de que o homem que tem sempre um sorriso no rosto e uma palavra de gentileza para todos que encontra é universalmente estimado, enquanto o tipo oposto é odiado com a mesma intensidade.

Essa lei da retaliação é uma força poderosa que atinge todo o universo, atraindo e repelindo constantemente. Você a encontrará no centro da bolota que cai ao solo e, em resposta ao calor da luz do sol, irrompe em um pequeno ramo constituído de duas pequenas folhas que finalmente crescem e atraem para si os elementos necessários para formar um robusto carvalho.

Ninguém nunca ouviu falar de uma bolota que atrai alguma outra coisa, exceto as células das quais cresce um carvalho. Ninguém jamais viu uma árvore metade carvalho e metade álamo. O centro da bolota forma afinidades apenas com os elementos que constituem um carvalho.

Cada pensamento que encontra morada no cérebro humano atrai elementos de sua espécie, seja de destruição ou construção, bondade ou indelicadeza. Você não pode concentrar sua mente no ódio e na antipatia e esperar colher o oposto disso, da mesma forma que não pode esperar que uma bolota se transforme em um álamo. Isso simplesmente não está em harmonia com a lei da retaliação.

Em todo o universo, toda matéria gravita para certos centros de atração. Pessoas com intelecto e tendências semelhantes são atraídas umas pelas outras. A mente humana forma afinidades apenas com outras mentes harmoniosas, e têm tendências semelhantes; portanto, a classe de pessoa que você atrai depende das tendências de sua mente. Você controla essas tendências e pode direcioná-las para qualquer caminho que escolher, atraindo qualquer tipo de pessoa que desejar.

Essa é uma lei da natureza. É uma lei imutável e funciona independentemente de fazermos uso consciente dela ou não.

Como grandes fortunas são feitas

O Sr. Carnegie faleceu, deixando uma fortuna de várias centenas de milhões de dólares após ter distribuído muitos milhões.

Existem milhares de pessoas que invejavam os milhões de Carnegie. Existem muitos outros milhares que confundiram o cérebro tentando pensar em algum plano ou esquema por meio do qual pudessem construir uma fortuna como a que Carnegie possuía.

Vou contar como Carnegie construiu sua fortuna. Talvez sirva para dar uma ideia que lhe ajudará a construir a sua. Em primeiro lugar, é bom lembrar que Carnegie não tinha mais habilidades do que tem o homem comum. Não era um gênio e não fez nada que quase qualquer outro homem não pudesse repetir.

O Sr. Carnegie acumulou seus milhões selecionando, combinando e gerenciando os cérebros de outros homens! Ele percebeu desde cedo que qualquer empreendimento como a siderurgia exigia mais talento do que qualquer homem possuía. Também percebeu que a maioria dos setores e negócios exige pelo menos dois tipos de homens – um, o cuidador e o outro, o promotor. Carnegie selecionava os homens que queria, organizava-os, dirigia-os e mantinha-os entusiasmados e ansiosos para prestar a maior quantidade de serviço. Ele os fazia cooperar uns com os outros e com ele.

Nenhum homem pode construir uma fortuna como aquela que Carnegie administrava sem o usar o cérebro de outros homens. A quantidade que um único cérebro pode produzir, acumular e reter, agindo de modo independente de outros cérebros, é relativamente pequena, mas a quantidade que um cérebro pode acumular e controlar quando age em harmonia com outras mentes altamente organizadas é praticamente ilimitada.

Se você quer se tornar rico, aprenda como atrair homens e mulheres que têm o que você não tem em termos de capacidade cerebral. Se você é do tipo promotor, selecione seus associados para que pelo menos alguns deles sejam do tipo cuidador. Uma parceria ou organização completa de homens, para ter sucesso, deve ser composta por homens que tenham todas as qualidades necessárias para o sucesso. Alguns homens conseguem adquirir, mas não conseguem conservar bens. Outros homens conseguem conservar, mas não podem adquirir. Os dois tipos, trabalhando em harmonia, podem adquirir e conservar.

Muitas empresas adoeceram e acabaram falindo sem nenhuma razão, exceto por serem administradas por homens que tinham muito de um tipo de talento e muito pouco ou nenhum dos outros tipos necessários. Os negócios exigem algo mais do que capital para ter sucesso. Requerem cérebros bem equilibrados, compostos de vários tons e combinações dos tipos cuidador e promotor.

A maior era da história

Este não é o momento para quem acredita apenas naquilo que compreende. Tampouco é um momento favorável para a pessoa que duvida da capacidade da mente humana de olhar além da cortina do tempo ao longo de eras e ali ver a caligrafia da natureza.

A natureza está revelando seus segredos a todos que desejam vê-los. Ela não usa mais os raios para assustar a humanidade ignorante e supersticiosa. Essa força agora é aproveitada. Ele move nossos trens, cozinha nossas refeições, impulsiona nossas rodas da indústria e carrega o som de nossas vozes ao redor da Terra em frações de segundo.

A eletricidade é agora exatamente a mesma força que era há trezentos anos, mas não sabíamos nada sobre ela então, só acreditávamos que era destrutiva! Não sabíamos que um dia ele serviria ao homem, atendendo obedientemente a seus comandos. Não entendíamos a eletricidade; portanto, não fizemos nenhuma tentativa de dominá-la até pouco tempo atrás. Não sabemos relativamente nada sobre eletricidade agora, mas começamos a experimentá-la, e isso é um passo em direção à descoberta do que ela é e do que fará quando aprendermos mais sobre ela.

A eletricidade agora carrega a voz humana ao redor da Terra. Um dia, levará o corpo humano a qualquer ponto com uma velocidade nunca antes imaginada. Nosso método de aproveitamento de eletricidade agora é muito rudimentar. Aprenderemos como manipular, regular e controlar essa energia universal por meio de um processo tão simples quanto aquele pelo qual agora recebemos água de uma torneira, com o auxílio da gravidade.

Como podemos descobrir as possibilidades da eletricidade?

Como podemos aproveitar esse grande reservatório de energia e usá-lo à vontade?

Isso é possível apenas por meio de experimentação, com o uso da imaginação! Esta é decididamente a era da imaginação, da investigação e da experiência. A raça humana começou a se livrar dos grilhões do medo e da dúvida e se apoderar das ferramentas de progresso que têm estado aos nossos pés ao longo dos tempos.

O presente é a era mais maravilhosa no período da história da raça humana - maravilhosa não apenas em seu desenvolvimento mecânico, mas também em seu desenvolvimento mental. Não apenas descobrimos como voar, nadar sob o oceano e falar com outras partes da Terra, mas descobrimos a causa de toda essa conquista - a mente humana!

Os últimos cinquenta anos foram o período mais ativo da história do mundo no que diz respeito às descobertas da ciência. Os próximos cinquenta anos provavelmente nos levarão tão longe no desenvolvimento da mente humana quanto os últimos cinquenta anos nos levaram no domínio da física e de meros dispositivos mecânicos.

Pare de brigar com seus companheiros

O tempo e a energia que gastamos para revidar àqueles que nos irritam nos tornaria independentemente ricos, se essa grande força fosse direcionada para um esforço construtivo - para construir, em vez de destruir!

Acredito que a pessoa comum gasta três quartos de sua vida em esforços inúteis e destrutivos.

Só existe uma maneira real de punir uma pessoa que lhe fez mal: retribuindo com o bem. Não há punição maior para alguém que lhe fez mal do que retribuir o mal com o bem.

O tempo dedicado ao ódio não apenas é desperdiçado, como também sufoca as únicas emoções valiosas do coração humano e torna a pessoa inútil para um trabalho construtivo. Pensamentos de ódio não prejudicam ninguém, exceto a pessoa que se entrega a eles.

O uísque e a morfina não são mais deletérios para o corpo humano do que pensamentos de ódio e raiva. Afortunada é a pessoa que cresceu e se tornou grande e sábia o suficiente para superar a intolerância, o egoísmo, a ganância e os ciúmes mesquinhos. Essas são as coisas que apagam os melhores impulsos da alma humana e abrem o coração humano à violência.

Se a raiva alguma vez deu alguma vantagem a um homem, este escritor nunca ouviu falar dele. As grandes almas em geral habitam seres humanos que demoram a se irritar e raramente tentam destruir um de seus semelhantes ou derrotá-lo em seus empreendimentos.

O homem ou mulher que consegue perdoar e verdadeiramente esquecer uma ofensa cometida por outro homem deve ser invejado. Essas almas alcançam uma felicidade que a maioria dos mortais nunca conhece.

Quanto tempo, ó Deus, quanto tempo vai demorar até que a raça humana aprenda a trilhar o caminho da vida de braços dados, ajudando uns aos outros com amor, em vez de tentar destruir uns aos outros? Quanto tempo vai demorar até aprendermos que o único sucesso real na vida é medido pela extensão do nosso serviço à humanidade? Quanto tempo vai demorar até aprendermos que as mais ricas bênçãos da vida são concedidas à pessoa que despreza a tentativa vulgar de destruir seu próximo?

Sei que essa clareza de discurso os faz odiar-me;
e o que é esse ódio senão uma prova de que digo a verdade?
– esta é a causa e o motivo da calúnia deles contra mim,
e vocês descobrirão nesta ou em qualquer
investigação futura.
– SÓCRATES

LIÇÃO 6

Como construir autoconfiança

Os princípios científicos descritos nesta lição levaram sucesso e felicidade a milhões de pessoas. Este tratado específico sobre "Como construir autoconfiança" foi escrito há mais de cem anos como parte de um curso geral de psicologia aplicada.

Mais tarde, foi publicado em forma de brochura, e mais de trezentas mil brochuras foram distribuídas. Uma grande empresa ofereceu uma cópia a cada funcionário de sua folha de pagamento, composta por vários milhares de pessoas.

A lição que você está prestes a ler tem uma história interessante. Tenho evidências de mais de cem casos de homens e mulheres que encontraram seu caminho adequado na vida com a ajuda do que você está prestes a ler.

Uma personalidade atraente é algo que sempre se encontra associada a um coração que bate com bondade e simpatia pela luta da humanidade.

O exemplo mais marcante de transformação imediata do fracasso em sucesso, com o auxílio deste artigo, aconteceu durante a Primeira Guerra

Mundial. Um dia, um mendigo apareceu em meu escritório. Quando olhei, ele estava parado na porta com o boné nas mãos, parecendo querer se desculpar por estar na Terra.

Eu estava prestes a dar a ele uma moeda de 25 centavos, quando ele me assustou tirando do bolso um livrinho de capa marrom. Era uma cópia de *How to Build Self-Confidence* (Como construir autoconfiança). Ele disse: "Deve ter sido a mão do destino que colocou este livrinho no meu bolso ontem à tarde. Eu estava indo me jogar no lago Michigan, quando alguém me deu este livro. Eu li. Ele me fez parar e pensar, e agora tenho certeza de que, se você quiser, pode me colocar de pé novamente".

Eu olhei para o mendigo novamente. Ele era, provavelmente, o exemplo de pior aparência que já tinha visto. Tinha uma barba de duas semanas. As roupas estavam amassadas e rasgadas. Ele não usava colarinho. Seus sapatos tinham calcanhar gasto. Mas ele me procurou pedindo ajuda, e eu não podia recusar. Pedi a ele que entrasse e se sentasse. Francamente, não tinha a menor ideia de que poderia fazer algo por ele, mas não tive coragem de dizer isso.

Pedi que me contasse sua história, que me contasse o que o levou àquela situação na vida. E ele me contou sua história. Resumindo, era o seguinte: antes da guerra, ele era um fabricante de sucesso no estado de Michigan. A guerra causou o colapso de sua fábrica. Isso acabou com suas economias e seu negócio, e o golpe partiu seu coração. Também minou sua fé em si mesmo, e ele deixou esposa e filhos, saiu de casa e se tornou um mendigo.

Depois de ouvir essa história, pensei em um plano para ajudá-lo. Eu disse a ele: "Escutei sua história com muito interesse e gostaria de poder fazer algo por você, mas não há absolutamente nada que eu possa fazer".

Eu o observei por alguns segundos. Ele ficou branco e parecia prestes a desmaiar. Então eu disse: "Mas há um homem neste edifício a quem vou apresentá-lo, e esse homem pode colocá-lo em pé novamente em menos de seis meses, se confiar nele". Ele me interrompeu e disse: "Pelo amor de Deus, leve-me até ele". Levei-o ao meu laboratório e o coloquei na frente do que parecia ser uma cortina sobre uma porta. Estendi a mão e puxei a cortina de lado, e ele ficou cara a cara com a pessoa a quem eu havia prometido apresentá-lo, olhando diretamente para o próprio rosto em um espelho alto.

Apontei o dedo para o espelho e disse: "Só existe uma pessoa na Terra que pode ajudá-lo, senhor; e a menos que você se sente e recupere a familiaridade com a força dessa personalidade, pode ir em frente e se jogar no lago Michigan, porque não terá nenhuma utilidade para si mesmo ou para qualquer outra pessoa".

Ele se aproximou do espelho, esfregou o rosto barbudo, deu um passo para trás e as lágrimas começaram a escorrer de seus olhos.

Eu o levei até o elevador e me despedi dele, sem nenhuma esperança de vê-lo novamente.

Cerca de quatro dias depois, eu o encontrei nas ruas de Chicago. Uma transformação completa havia ocorrido. Ele caminhava com passos rápidos, com o queixo erguido em um ângulo de 45 graus. Estava vestido da cabeça aos pés com roupas novas. Parecia bem-sucedido e caminhava como se estivesse se sentindo bem-sucedido. Ele me viu, se aproximou e apertou minha mão.

Ele disse: "Sr. Hill, você mudou todo o curso da minha vida. Você me salvou de mim mesmo ao me apresentar a mim mesmo - ao meu verdadeiro eu - aquele que eu não conhecia antes - e, um dia desses, voltarei para vê-lo novamente. Quando isso acontecer, serei um homem de sucesso. Levarei um cheque para você. Seu nome estará no espaço na parte superior, e meu nome estará na parte inferior. O valor ficará em branco, para você preencher, porque você marcou a maior virada em minha vida".

Ele se virou e desapareceu nas ruas movimentadas de Chicago. Enquanto eu o via se afastar, me perguntei se algum dia o veria novamente. Pensei se ele realmente teria sucesso. E me perguntei várias outras coisas. Era quase como ler um conto das *Mil e uma noites*.

O que me leva ao final dos meus comentários introdutórios, e a um lugar apropriado para dizer que esse homem voltou a me procurar. Ele se deu bem. Se eu mencionasse seu nome, você o reconheceria imediatamente, porque ele alcançou um sucesso fenomenal e se colocou à frente de um negócio que é conhecido de costa a costa.

Estou tentando fazer com que ele conte a própria história nestas páginas, para que outros possam se beneficiar com seu exemplo. Espero ter sucesso, porque há milhões de outras pessoas que perderam a fé na única pessoa neste plano terreno que pode fazer qualquer coisa por elas, assim como este homem fez, e que podem se encontrar por meio da história dele.

Nesse ínterim, a seguir você lerá o artigo que provocou essa transformação incomum em um homem que havia caído nas profundezas do desânimo.

Este pode ser o livro mais valioso que você já leu. Ele mostra como aplicar os princípios de autossugestão e concentração no desenvolvimento da mais necessária de todas as qualidades para o sucesso, a autoconfiança.

Existem dois grandes objetivos pelos quais toda a humanidade parece se esforçar. Um é alcançar a felicidade e o outro é acumular riqueza material - dinheiro!

Você começará a ver a importância de desenvolver autoconfiança quando parar para notar que nenhum desses dois objetivos principais da vida pode ser alcançado sem ela.

Tente quanto quiser, mas não será feliz, a menos que acredite em si mesmo! Trabalhe com toda a força ao seu alcance, e não vai conseguir acumular mais do que o suficiente para sobreviver, a menos que acredite em si mesmo!

A única pessoa do mundo por cujos esforços você pode ser extremamente feliz em todas as circunstâncias, e por cujo trabalho você pode acumular toda a riqueza material que pode usar de maneira legítima, é você mesmo.

Quando chegar à plena compreensão dessa grande verdade, um novo e vibrante sentimento de inspiração lhe dominará, e você terá consciência de uma vitalidade e um poder extraordinários que antes nem sabia possuir.

Você vai realizar mais porque ousará empreender mais! Você perceberá, talvez pela primeira vez na vida, que tem a capacidade de realizar qualquer coisa que quiser realizar! Você perceberá quanto o sucesso em qualquer empreendimento depende pouco de outras pessoas e muito de você.

Recomendamos que adquira uma cópia de *Ensaios,* de Emerson, e leia "Autossuficiência". Ele lhe encherá de novas inspirações, entusiasmo e determinação.

Então, depois de ler o ensaio sobre autoconfiança, leia aquele sobre compensação. Nesses dois ensaios, você encontrará algumas verdades extremamente úteis.

No desenvolvimento da autoconfiança, um dos primeiros passos que você deve dar é eliminar para sempre a sensação de que não pode realizar nada do que está empreendendo. O medo é o principal fator negativo que se interpõe entre você e a autoconfiança, mas vamos mostrar como eliminar cientificamente o medo e desenvolver coragem no lugar dele.

Existe em seu cérebro um gênio adormecido que jamais pode ser despertado, exceto pelo exercício da autoconfiança. Uma vez despertado, você vai se surpreender com o que pode realizar. Vai surpreender todos que o conheciam antes de a transformação ocorrer. Vai afastar todos os obstáculos e avançar para a vitória, apoiado por uma força invisível que não reconhece obstáculos.

Uma análise cuidadosa dos homens bem-sucedidos do mundo mostra que a qualidade dominante que todos tinham era a autoconfiança.

O objetivo desse esboço é mostrar como você pode, por meio dos princípios da autossugestão e da concentração, colocar qualquer pensamento ou desejo em sua mente consciente e mantê-lo lá até que se cristalize em realidade. Esses princípios são científicos e precisos. Eles foram testados milhares de vezes pelos principais cientistas do mundo. Para provar sua precisão, você só precisa experimentá-los, como centenas de pessoas estão fazendo, memorizando a seguinte esquematização:

1. Sei que tenho a capacidade de realizar tudo o que empreendo. Sei que, para ter sucesso, só preciso estabelecer essa crença em mim mesmo e segui-la com uma ação vigorosa e agressiva. Eu vou estabelecer isso.
2. Percebo que meus pensamentos acabam se reproduzindo em forma e substância materiais e se tornam reais no estado físico. Portanto, vou me concentrar na tarefa diária de pensar na pessoa que pretendo ser, fazer uma imagem mental dessa pessoa e transformar essa imagem em realidade. (Descreva aqui em detalhes o seu "objetivo principal" ou a tarefa de vida que você selecionou.)
3. Estou estudando com a firme intenção de dominar os princípios fundamentais pelos quais posso atrair para mim as coisas desejáveis da vida. Por meio desse estudo, estou me tornando mais autoconfiante e alegre. Estou desenvolvendo mais simpatia por meus semelhantes e estou me tornando mais forte, tanto mental quanto fisicamente. Estou aprendendo a sorrir o sorriso que toca tanto o coração quanto os lábios.

4. Estou dominando e superando o hábito de começar algo que não termino. Deste momento em diante, primeiro planejarei tudo o que desejo fazer, criando uma imagem mental clara disso, e não permitirei que nada interfira em meus planos até que os tenha transformado em realidade.
5. Eu mapeei e planejei claramente o trabalho que pretendo seguir nos próximos cinco anos. Estabeleci um preço para os meus serviços para cada um dos cinco anos, um preço que pretendo garantir por meio da aplicação estrita do princípio do serviço eficiente e satisfatório!
6. Tenho plena consciência de que o sucesso autêntico virá apenas por meio da aplicação estrita dos princípios da "Regra de ouro". Não vou, portanto, me envolver em nenhuma transação que não beneficie igualmente todos os que dela participarem. Terei sucesso atraindo as forças que desejo usar. Vou induzir outras pessoas a me servirem pela minha disposição a servi-las. Conquistarei a amizade de meus semelhantes com minha bondade e disposição para ser amigo. Vou eliminar de minha mente o medo, desenvolvendo em seu lugar a coragem. Vou eliminar o ceticismo desenvolvendo a fé. Vou eliminar o ódio e o cinismo desenvolvendo o amor pela humanidade.
7. Aprenderei a me colocar e a me expressar em linguagem clara, concisa e simples, e a falar com força e entusiasmo, de maneira que transmita convicção. Farei com que outros se interessem por mim, porque antes me interessarei por eles. Vou eliminar o egoísmo e desenvolver em seu lugar o espírito de serviço.

Vamos chamar sua atenção especialmente para o segundo parágrafo dessa esquematização de construção de autoconfiança. Sob esse título, você deve declarar clara e definitivamente o "objetivo principal" e, ao colocá-lo de maneira deliberada em sua mente consciente, estará usando o princípio da autossugestão, memorizando esse esquema e mantendo seu conteúdo em prontidão para que você possa chamá-lo à mente consciente a qualquer minuto e, ao invocá-lo de fato à consciência muitas vezes ao dia, fazer uso do princípio da concentração.

Sua mente pode ser comparada à placa sensível de uma câmera. O "objetivo principal" mantido diante dela, por meio da imagem anterior, pode ser comparado ao objeto do qual você deseja fazer uma imagem clara e definida. Quando essa imagem for transferida permanentemente para as placas sensíveis do subconsciente, você notará que cada ato e cada movimento do seu corpo terá uma tendência de transformar essa imagem em uma realidade física.

Sua mente primeiro desenha uma imagem daquilo que deseja e, em seguida, passa a direcionar sua atividade corporal para adquiri-la.

Mantenha o medo longe da mente consciente, assim como manteria o veneno longe de sua comida, pois é a única barreira que ficará entre você e a autoconfiança.

Depois de memorizar essa esquematização de desenvolvimento da autoconfiança, crie o hábito de repeti-lo em voz alta pelo menos duas vezes por dia. Todos os seus pensamentos têm uma tendência inerente de produzir atividades apropriadas ou correspondentes em seu corpo, mas os pensamentos que são seguidos por afirmações por meio de palavras faladas se cristalizam na realidade em muito menos tempo do que aqueles que não são seguidos pela expressão em palavras. Indo ainda mais longe, os pensamentos que são seguidos por palavras faladas e

Há uma maneira segura de evitar críticas - não seja nada e não faça nada. Arrume um emprego como varredor de rua e mate a ambição. O remédio nunca falha.

escritas se cristalizarão na realidade física em menos tempo ainda do que aqueles que são inibidos e simplesmente mantidos na consciência em silêncio. Portanto, não apenas recomendamos que você memorize esse esquema de desenvolvimento da autoconfiança, como também sugerimos que o escreva e repita em voz alta pelo menos duas vezes por dia durante duas semanas, no mínimo. Seguindo essas sugestões, você terá dado três passos decisivos para alcançar seu objetivo:

Primeiro, você o terá criado em pensamento.

Segundo, você terá feito com que isso produza uma ação corporal visando à sua transformação final em realidade, por meio da ação muscular dos órgãos vocais ao falar em voz alta.

Terceiro, você terá feito com que esse pensamento realmente comece o processo de transformação em realidade física por meio da ação muscular de sua mão ao escrevê-lo no papel.

Essas três etapas completariam sua tarefa inteiramente em muitas áreas de trabalho, por exemplo, na arquitetura. O arquiteto primeiro pensa, cria uma imagem nítida de sua construção nas placas sensíveis de sua mente, depois transfere essa imagem para o papel com a mão, e pronto! Seu trabalho está concluído.

Recomendamos que você se coloque diante de um espelho de onde possa se ver enquanto repete as palavras do esquema de construção da autoconfiança. Olhe diretamente em seus olhos, como se fosse outra pessoa, e fale com veemência. Se houver algum sentimento de falta de coragem, agite o punho na cara daquela pessoa que você vê no espelho e desperte-a para um sentimento de reação. Faça-a querer dizer alguma coisa; faça-a querer fazer alguma coisa.

Em breve, você verá de fato as linhas em seu rosto começarem a mudar de uma expressão de fraqueza para outra de força. Você começará a ver naquele rosto força e beleza como você nunca viu antes, e essa transformação maravilhosa será igualmente perceptível para os outros.

Você não precisa seguir as palavras exatas do esquema de construção da autoconfiança, mas selecione palavras que expressem mais apropriadamente o seu desejo. Na verdade, você pode escrever um esquema inteiramente novo, se preferir. O texto é irrelevante, desde que defina claramente a imagem que você pretende transformar em realidade.

Considere esse esboço como um projeto ou uma descrição detalhada da pessoa que você pretende ser. Registre no projeto todas as emoções que deseja sentir, todos os atos que deseja realizar e uma descrição clara de si mesmo como deseja que os outros vejam você. Lembre-se de que essa esquematização é o seu plano de trabalho e que com o tempo - muito pouco tempo - você vai se parecer com esse plano em todos os detalhes.

Deixe que esse esquema se torne sua oração diária, se você tiver inclinação religiosa, e repita-o como uma prece. Se você acredita em oração - como sem dúvida acredita - não pode duvidar nem por um momento que seus desejos, conforme expressos no esboço, serão totalmente realizados. Percebe em que posição notável de força você será colocado ao repeti-lo como uma oração? Percebe com clareza maravilhosa o que a qualidade adicional de fé fará para transformar de maneira rápida e segura suas afirmações em realidades físicas? Percebe grandes possibilidades nesse método de usar o poder do infinito para a realização de seus desejos?

Não faz diferença que religião é a sua; este método de autodesenvolvimento não entra em conflito com ela de forma alguma. Pessoas de todas as religiões reconhecem a oração como o poder central em torno do qual seus credos são construídos. Se a oração tem o endosso de todas as religiões, deve ser digna de uso na realização de fins legítimos. Certamente, o desenvolvimento da autoconfiança é um fim legítimo e digno.

Podemos não ser capazes de explicar o maravilhoso fenômeno da oração, mas isso não deve nos impedir de usá-la de todas as maneiras legítimas. Usá-la na transformação das palavras escritas do esboço em realidade física certamente é legítimo, porque o propósito desse esquema é o desenvolvimento do homem, a maior e mais maravilhosa obra das mãos de Deus.

O que poderia ser mais valioso do que libertar a mente humana da maior de todas as maldições, o medo? E para que serve o esquema de construção da autoconfiança, senão para eliminar o medo e criar coragem em seu lugar?

Ao fazer uso dessa esquematização da maneira indicada, você percebe como alguém é colocado na posição anômala de ser compelido a desenvolver autoconfiança ou duvidar do poder da oração e da aspiração? Não vê que ímpeto poderoso é dado ao seu empreendimento pela qualidade adicional de fé associada à oração?

Você não precisa limitar seu esquema exclusivamente ao desenvolvimento da autoconfiança. Adicione a ele qualquer outra qualidade que quiser desenvolver, felicidade por exemplo, e ele trará o que você pedir. Negar isso é negar o poder da própria oração.

Você agora está de posse da grande chave mestra que abrirá a porta para tudo que você quer ser. Chame essa grande chave do que quiser. Considere-a à luz de uma força puramente científica, se preferir; ou olhe para isso como um poder divino, pertencente à grande massa de fenômenos desconhecidos que a humanidade ainda não compreendeu. O resultado em ambos os casos será o mesmo: sucesso.

Se a oração é boa para qualquer coisa, certamente pode ser usada como um meio pelo qual se desenvolve na mente humana a maior de todas as bênçãos, a felicidade. Você nunca desfrutará de felicidade maior do que experimentará pelo desenvolvimento da autoconfiança. Por meio desse método de construção da autoconfiança, seu Criador é o patrocinador de seu sucesso. Você não vê a tremenda vantagem que alcança por meio desse procedimento? Não vê como será impossível falhar? Não vê como a própria oração se torna sua principal aliada?

A fé é o fundamento sobre o qual repousa a civilização. Nada é impossível quando construído tendo a fé como alicerce para o desenvolvimento de sua autoconfiança. Use-a, e seu edifício não pode cair. Você vai superar todos os obstáculos e derrubar todas as resistências para alcançar seus objetivos, por meio desse plano simples. Não deixe que preconceitos lhe impeçam de usar esse plano. Duvidar de que isso vai trazer o que você deseja é o equivalente a duvidar da oração.

A grande maldição de todos os tempos é o medo ou a falta de autoconfiança. Com esse mal removido, você se verá sendo transformado rapidamente em uma pessoa de força e iniciativa. Vai se ver saindo das fileiras daquela grande massa que chamamos de seguidores e subindo para a primeira fila dos poucos escolhidos que chamamos de líderes. A liderança só vem por meio da crença suprema em si mesmo, e você sabe como desenvolver essa crença.

Lembre-se disso como meu último conselho – você pode ser qualquer coisa que desejar com emoção e profundamente. Descubra o que você mais deseja e, então, estabeleça a base para chegar lá. Desejo forte e profundamente enraizado é o início de todas as conquistas humanas, é a semente de onde brotam todas as realizações do homem.

Emocione ou vitalize todo o seu ser com qualquer desejo definido bem fixado, e imediatamente sua personalidade se torna um ímã que atrairá o objeto desse desejo.

Duvidar é permanecer na ignorância.

LIÇÃO 7

Ambiente e hábito

Esta lição nos leva ao próximo princípio geral da psicologia, que apresentaremos da maneira a seguir.

Ambiente: a mente humana tem uma firme tendência a absorver o ambiente de que estamos cercados e provocar atividades corporais que se harmonizem e sejam apropriadas a esse ambiente. A mente se nutre e cresce para se assemelhar às impressões dos sentidos que ela absorve do ambiente em que vivemos. A mente se assemelha a um camaleão no sentido de que muda de cor para corresponder ao ambiente. Ninguém, exceto as mentes mais fortes, resistirá à tendência de absorver o ambiente.

Hábito: o hábito surge do ambiente – de fazer a mesma coisa da mesma maneira repetidamente – de ter os mesmos pensamentos repetidas vezes – e, uma vez formado, se assemelha ao cimento que se solidificou nos moldes e é difícil de quebrar.

A força da educação é tão grande, que podemos moldar a mente e as maneiras dos jovens no formato que quisermos e criar a impressão de hábitos que permanecerão para sempre.
– BISPO FRANCIS ATTERBURY, 1663-1732

A mente humana extrai do ambiente circundante o material de que pensamento e ação são construídos, e o hábito os cristaliza em elementos permanentes de nossa personalidade e os armazena na mente subconsciente.

O hábito pode ser comparado às ranhuras de um disco, enquanto a mente humana pode ser comparada à ponta da agulha que se encaixa nessas ranhuras. Quando qualquer hábito foi bem formado (por repetição de pensamento ou ação), a mente tende a se apegar a esse hábito e segui-lo de perto, como a agulha do toca-discos segue o sulco no disco.

Começamos a ver, portanto, a importância de selecionar nosso ambiente com o maior cuidado possível, porque ele é o campo de alimentação mental de onde se extrai o que entra em nossa mente.

O ambiente fornece a comida e o material com os quais criamos o pensamento, e o hábito cristaliza esses materiais em permanência!

Por essa razão, dentro de nosso atual sistema de tratamento de criminosos, mais os criamos que os curamos! Quando os assuntos de meio ambiente e hábitos forem mais bem compreendidos, todo o nosso sistema penal passará por merecidas reforma e transformação. Vamos parar de encarcerar os homens como bois, todos marcados com a marca da desgraça que sempre os faz lembrar de que são "criminosos"! Colocaremos os infratores em uma atmosfera limpa, onde cada parte do ambiente vai sugerir a eles que estão sendo transformados em seres humanos úteis, em vez de colocá-los onde são constantemente lembrados de que são os infratores da sociedade. Nesta era de avanço e inteligência humana, a prisão deve ser considerada um hospital no qual mentalidades pervertidas e perturbadas são tratadas e devolvidas ao normal. A velha ideia de punição para o crime deve ser substituída pela ideia nova e mais avançada de cura para o crime. A lei da retaliação, sugestão, autossugestão e os outros princípios abordados por este curso desempenharão, cada um, sua parte na eliminação da punição e na adoção da cura como um meio de recuperar os criminosos e levá-los de volta ao normal.

O sistema de recompensas, conforme adotado de forma limitada em muitas de nossas instituições penais, é um passo na direção certa. O sistema de liberdade condicional é outro passo adiante. Aproxima-se rapidamente o tempo em que todos os infratores das leis sociais serão enviados, não para as celas escuras, repelentes, sujas e imundas da prisão, mas diretamente para o laboratório do hospital de tratamento mental onde a mente e o corpo dos desafortunados receberão atenção e tratamento adequado.

Essa reforma nos métodos carcerários será uma das grandes reformas da era atual! E a psicologia será o meio pelo qual essa reforma operará. De fato, depois que a psicologia se tornar uma das disciplinas regularmente ensinadas em nossas escolas públicas, as tendências criminosas que a criança em desenvolvimento absorve de seu ambiente serão efetivamente contrabalançadas, por meio dos princípios da psicologia.

Mas não devemos nos afastar muito dos assuntos de nossa lição, hábito e ambiente. Vamos aprender mais sobre as características do hábito com as seguintes palavras de Edward E. Beals, um dos principais psicólogos do mundo.

Hábito

> O hábito é uma força geralmente reconhecida pela pessoa pensante comum, mas que é comumente vista em seu aspecto adverso, em detrimento de sua fase favorável. Foi bem dito que todos os homens são "criaturas de hábitos" e que "o hábito é um cabo; tecemos um fio dele a cada dia, e ele se torna tão forte, que não podemos quebrá-lo". Mas as citações acima servem apenas para enfatizar aquele lado da questão que mostra os homens como escravos do hábito, sofrendo com suas amarras. Há outro lado da questão, e esse lado será considerado neste capítulo.

Se é verdade que o hábito se torna um tirano cruel, governando e compelindo os homens contra a vontade, o desejo e a inclinação - e isso é verdade em muitos casos - vem à mente naturalmente a questão sobre essa força poderosa não poder ser controlada e dominada a serviço do homem, assim como outras forças da natureza. Se esse resultado puder ser alcançado, então o homem é capaz de dominar o hábito e colocá-lo para funcionar a seu favor, em vez de ser escravo dele e servi-lo fielmente, mesmo reclamando. E os psicólogos modernos nos dizem em tom inequívoco que o hábito pode certamente ser dominado, controlado e posto a trabalhar, em vez de dominar ações e caráter de alguém. E milhares de pessoas aplicaram esse novo conhecimento e direcionaram a força do hábito para novos canais, e a obrigaram a servir sua máquina de ação, em vez de permitir que fosse desperdiçada, ou que destruísse as estruturas que os homens erigiram com cuidado e esforço, ou que destruísse campos mentais férteis.

Um hábito é um "caminho mental" sobre o qual nossas ações passaram por algum tempo, cada passagem tornando o caminho um pouco mais profundo e um pouco mais largo. Se você tem que passar por um campo ou através de uma floresta, sabe quanto é natural escolher o caminho mais aberto, em detrimento dos menos utilizados, e em detrimento ainda maior de atravessar diretamente o campo ou floresta e abrir um novo caminho. E a linha de ação mental é precisamente a mesma. É o movimento ao longo das linhas de menor resistência – andar pelo caminho mais percorrido.

Os hábitos são criados por repetição e formados de acordo com uma lei natural, observável em todas as coisas animadas, e alguns diriam também nas coisas inanimadas. Como exemplo disso, aponta-se que um pedaço de papel, uma vez dobrado de certa maneira, vai se dobrar nas mesmas linhas da próxima vez. E todos os usuários de máquinas de costura, ou outras peças de mecanismo delicado, sabem que a máquina ou o instrumento, uma vez "quebrado", tenderá a funcionar dessa maneira depois disso. A mesma lei também é observada no caso de instrumentos musicais. As roupas ou luvas formam vincos de acordo com a pessoa que as usa, e esses vincos, uma vez formados, estarão sempre ativos, apesar de passados repetidamente. Rios e riachos cortam seus caminhos na terra e, a partir daí, correm no curso habitual. A lei está em vigor em todos os lugares.

Os exemplos acima lhe ajudarão a formar a ideia da natureza do hábito e criar novos caminhos mentais - novos vincos mentais. E lembre-se sempre disso: a melhor (e pode-se dizer a única) maneira pela qual velhos hábitos podem ser removidos é formar novos hábitos para neutralizar e substituir os indesejáveis. Forme novos caminhos mentais pelos quais viajar, e os antigos logo se tornarão menos distintos e, com o tempo, praticamente se encherão de desuso. Cada vez que você percorre o caminho do hábito mental desejável, torna esse caminho mais profundo e mais amplo, e o faz muito mais fácil de percorrer depois disso. Essa criação do caminho mental é uma coisa muito importante, e preciso enfatizar a necessidade de começar a trabalhar criando os caminhos mentais desejáveis pelos quais pretende viajar. Pratique, pratique, pratique - seja um bom criador de caminhos.

As seguintes regras vão ajudá-lo em seu trabalho na formação de novos hábitos:

1. No início da formação de um novo hábito, coloque força em sua expressão da ação, pensamento ou característica. Lembre-se de que você está dando os primeiros passos para traçar o novo caminho mental, e é muito mais difícil no início do que mais tarde. Deixe o caminho o mais limpo e profundo possível no início, para que possa vê-lo prontamente na próxima vez que desejar percorrê-lo.
2. Mantenha a atenção concentrada e firme na construção do novo caminho e os olhos e pensamentos longe dos caminhos antigos, para não se inclinar na direção deles. Esqueça os antigos caminhos e se preocupe apenas com o novo que está construindo.
3. Percorra o seu caminho recém-criado sempre que possível. Crie oportunidades para isso, sem esperar que elas surjam. Quanto mais você percorrer o novo caminho, mais cedo ele se tornará um caminho antigo, marcado e fácil de percorrer. Pense em planos para passar por ele e usá-lo no início.
4. Resista à tentação de percorrer os caminhos mais antigos e mais fáceis que usou no passado. Cada vez que você resiste a uma tentação, mais forte você se torna e mais fácil será resistir na próxima vez. Mas cada vez que você cede à tentação, mais fácil se torna ceder novamente e mais difícil se torna resistir da próxima vez. Você vai enfrentar uma luta no início, e esse é o momento crítico. Prove sua determinação, persistência e força de vontade agora, bem aqui no início.
5. Tenha certeza de mapear o caminho correto - planeje-o bem e veja aonde ele o levará - e então vá em

> frente sem medo e sem se permitir duvidar. "Coloque a mão sobre o arado e não olhe para trás." Selecione o objetivo, então crie um caminho mental bom, profundo e amplo que conduza diretamente a ele.

Existe uma semelhança próxima entre hábito e autossugestão. Pelo hábito, um ato realizado repetidamente da mesma maneira tende a se tornar permanente e, com o tempo, passamos a realizar o ato de forma automática e sem muito pensamento ou concentração. Ao tocar piano, por exemplo, o músico pode tocar uma peça familiar enquanto a mente consciente está focada em algum outro assunto.

Por meio da autossugestão, como já aprendemos nas lições anteriores, um pensamento, uma ideia, uma ambição ou um desejo mantido constantemente na mente acaba reivindicando a maior parte da mente consciente e, por consequência, causa ação muscular apropriada do corpo para que a ideia assim sustentada posa ser transformada em realidade física.

A autossugestão, portanto, é o primeiro princípio que usamos para formar hábitos. Formamos hábitos por meio do princípio da autossugestão e podemos destruir hábitos pelo mesmo princípio.

Tudo o que você precisa fazer para formar ou eliminar qualquer hábito é utilizar o princípio da autossugestão com persistência. Um mero desejo fugaz não é de forma alguma autossugestão. Uma ideia ou desejo, para se transformar em realidade, deve ser mantido na mente consciente com fidelidade e persistência até começar a tomar forma permanente.

É necessário dedicar-se de maneira constante, determinada e persistente ao único objeto no qual você colocou a mente. Tendo encontrado o objeto de seu desejo e sabendo como se concentrar nele, você deve aprender a ser persistente em sua concentração, objetivo e propósito.

Não há nada como aderir a alguma coisa. Muitos homens são brilhantes, engenhosos e trabalhadores, mas deixam de alcançar a meta por sua falta de "persistência". É preciso desenvolver tenacidade e recusar-se a se deixar demover de uma coisa, depois de fixar sua atenção e seu desejo nela. Você se lembra do caçador do velho Oeste que, depois de olhar para um animal e dizer, "Você é minha carne", nunca abandonava o rastro ou a perseguição daquele animal, mesmo que tivesse que persegui-lo por semanas, perdendo sua carne enquanto isso. Esse homem, com o tempo, adquiria tal capacidade de persistência, que os animais se sentiam como o guaxinim de Davy Crockett que gritou: "Não atire, senhor, eu caio sem isso".

Você conhece a persistência obstinada inerente a alguns homens, que nos impressiona como uma força irresistível quando os encontramos e entramos em conflito com sua determinação persistente. Podemos chamar isso de "vontade", mas é a persistência de nosso velho amigo - aquela capacidade de impor a vontade firmemente contra objetos, assim como o operário segura o cinzel contra o objeto na roda, sem nunca remover a pressão da ferramenta até que o resultado desejado seja obtido.

Não importa quão forte é a vontade que um homem pode ter, se ele não aprendeu a arte de aplicá-la com persistência, não vai obter os melhores resultados. Deve-se aprender a adquirir aquela aplicação constante, invariável e implacável ao objeto de seu desejo, que vai permitir que o indivíduo mantenha firme a pressão de sua vontade contra o objeto, até que ele seja moldado de acordo com seus desejos. Não só hoje e amanhã, mas todos os dias até o fim.

Sir Thomas Fowell Buxton disse: "Quanto mais eu vivo, mais certeza tenho de que a grande diferença entre os homens, entre os fracos e os poderosos, os grandes e os insignificantes, é a energia - determinação invencível - uma vez estabelecido um propósito, é morte ou vitória. Essa qualidade realiza qualquer coisa que pode ser feita neste mundo – e, sem ela, nenhum talento, nenhuma circunstância, nenhuma oportunidade fará de uma criatura bípede um homem".

Donald G. Mitchell disse: "A determinação é que faz um homem manifestar, não uma determinação insignificante, não determinações grosseiras, não propósitos errôneos, mas aquela vontade forte e incansável que percorre dificuldades e perigo, como um menino percorre terras geladas no inverno, que ilumina seus olhos e cérebro com um pulsar orgulhoso e o direciona para o inalcançável. Vontade transforma os homens em gigantes".

Disraeli disse: "Por meio de longa meditação, cheguei à convicção de que um ser humano com um propósito estabelecido precisa realizá-lo, e que nada pode resistir a uma vontade que põe em risco até a existência por sua realização".

Sir John Simpson disse: "Um desejo apaixonado e uma vontade incansável podem realizar impossibilidades, ou o que pode parecer impossível para o frio e fraco".

E John Foster acrescenta seu testemunho quando diz: "É maravilhoso como até mesmo as casualidades da vida parecem se curvar a um espírito que não se curva a elas, e cedem para cumprir um desígnio que podem, em sua primeira tendência aparente, ameaçar frustrar, quando um espírito firme e decidido é reconhecido; é curioso ver como o espaço se abre ao redor de um homem e permite a ele espaço e liberdade".

Abraham Lincoln disse sobre o General Grant: "A grande coisa sobre ele é a persistência fria de propósito. Ele não se desequilibra com facilidade e tem o controle de um buldogue. Quando crava os dentes em alguma coisa, nada pode fazê-lo soltar o que mordeu".

Você pode argumentar que as citações anteriores se referem à vontade, não à persistência. Mas se parar para refletir por um momento, verá que se relacionam à vontade persistente, e que a vontade sem persistência não poderia realizar nenhuma dessas coisas a ela atribuídas. A vontade é o cinzel duro, mas a persistência é o mecanismo que mantém o cinzel em seu lugar, pressionando-o com firmeza contra o objeto a ser modelado e evitando que escorregue ou relaxe sua pressão. Não é possível ler atentamente as citações dessas grandes autoridades sem sentir os lábios contraídos e a mandíbula projetada, as marcas visíveis da vontade persistente e obstinada.

Se você não tem persistência, deve começar a treinar para adquirir o hábito de aderir às coisas. Essa prática vai estabelecer um novo hábito mental, e também tende a fazer com que as células cerebrais apropriadas se desenvolvam e, assim, propiciem como característica permanente a qualidade desejada que você está procurando desenvolver. Fixe sua mente em suas tarefas diárias, estudos, ocupação ou *hobbies*, e mantenha sua atenção firme neles pela concentração, até que se acostume a resistir a "desvios" ou influências que o distraiam. É tudo uma questão de prática e hábito. Mantenha em mente a ideia do cinzel pressionado contra o objeto que está moldando, conforme explicado nesta lição - isso lhe ajudará muito. E leia isso repetidamente, todos os dias, até que sua mente apreenda a ideia e se aproprie dela. Quando faz isso, a tendência é despertar o desejo de persistência, e o resto virá naturalmente, como o fruto segue o desabrochamento e a florescência da árvore.

A persistência pode ser comparada à "gota d'água que finalmente desgasta a pedra mais dura". Quando o capítulo final da obra de sua vida for escrito, você descobrirá que a persistência, ou a falta dela, desempenhou um papel importante em seu sucesso ou fracasso.

Em centenas de milhares de casos, os talentos dos homens poderiam ser comparados entre si sem que fosse encontrada nenhuma diferença perceptível na capacidade para alcançar o fim desejado. Um tem tanta educação quanto o outro. Um tem tanta habilidade latente quanto o outro. Eles vão para o mundo com chances iguais de conquistar o objetivo que almejam, mas um consegue e o outro falha! Uma análise precisa mostrará que um teve sucesso por causa da persistência, enquanto o outro falhou porque lhe faltou persistência!

Persistência, autossugestão e hábito são três palavras cujo significado ninguém pode se dar ao luxo de ignorar. A persistência é o cordão forte que liga a autossugestão e o hábito até que se fundam em uma coisa só e se tornem uma realidade permanente.

O principal valor estratégico da propaganda alemã reside no fato de destruir o espírito daqueles contra os quais é dirigida. Em outras palavras, quebra a persistência! O prussiano que foi enviado para destruir o autor destas lições e tornar seu trabalho educacional sem importância fez uso extensivo desse princípio de destruir a persistência pela quebra do espírito. Silenciosa e sutilmente, esse agente treinado do Kaiser começou a jogar amigos e sócios do autor contra ele. Ele sabia da necessidade de destruir o poder da persistência! Esmagar o espírito e quebrar a persistência daqueles que se interpõem em seu caminho é um fator forte no trabalho do propagandista alemão. Destruir o "moral" - em outras palavras, a persistência - de um exército é de importância estratégica de grande valor.

Destrua o moral de um exército e você terá derrotado aquele exército! Essa regra também se aplica a um grupo menor de indivíduos ou a uma pessoa.

Só podemos desenvolver persistência por meio de autoconfiança absoluta! É por isso que enfatizamos tanto o valor da lição sobre autoconfiança, e por isso recomendamos essa lição ao leitor como a mais importante da psicologia aplicada. Existe uma ideia central em torno da qual essa lição é construída, que mostra exatamente como usar qualquer habilidade latente e como suplementá-la com qualquer fé que você tenha no infinito.

Volte a essa lição e reflita sobre ela!

Por trás dessas linhas simples, você encontrará o segredo da realização, a chave para os mistérios de uma força de vontade indomável! Removidos e afastados todos os detalhes técnicos, você encontrará nessa lição "aquela coisa sutil" que vai energizar o cérebro e enviar por todo o seu corpo aquele brilho radiante que vai fazer você querer pegar o chapéu, sair e fazer alguma coisa!

O maior serviço que qualquer professor pode prestar é fazer o aluno despertar aquele gênio adormecido dentro de seu cérebro e inspirar nele a ambição de realizar algum empreendimento digno! Não é o que a educação ou a escolaridade colocam na sua cabeça que lhe beneficiará, mas o que é despertado dentro de você e posto em prática!

Sua persistência vai acabar despertando aquele algo indescritível, seja o que for, e quando isso for despertado, você vai varrer todos os obstáculos à sua frente e se dirigir rapidamente à realização de seu objetivo desejado, nas asas desse poder recém-descoberto que existia dentro de você o tempo todo, sem ser percebido!

E quando você descobrir esse poder irresistível que dorme em seu cérebro neste exato minuto, ninguém na Terra poderá dominá-lo novamente ou usá-lo como um pedaço de massa. Você terá descoberto seu tremendo poder mental, assim como um cavalo descobre seu poder físico superior quando foge uma vez, e, depois disso, para sempre, você se recusará a ser contido e conduzido por qualquer ser humano na Terra!

Se você seguir o plano traçado no tema em torno do qual este texto foi construído, certamente encontrará esse grande poder. Terá então se voltado para si mesmo. Você terá descoberto o verdadeiro princípio pelo qual a raça humana gradualmente evoluiu, ao longo dos tempos, além dos animais dos estágios inferiores da evolução.

E este parece ser um ponto apropriado para recomendar outro livro a ser adicionado à sua biblioteca – um livro que contém muitos esclarecimentos sobre o tema da evolução da raça humana. O título do livro é *The Ascent of Man* (A ascensão do homem), de Henry Drummond, publicado por James J. Pott & Co., Quinta Avenida, 114 Nova York.

Obtenha esse livro em sua biblioteca local, ou, melhor ainda, compre uma cópia em sua livraria local. Ler e assimilar esse livro é adquirir uma educação liberal sobre o assunto da psicologia. O capítulo "The Dawn of Mind" (O despertar da mente) já vale muitas vezes o custo do livro. Recomendamos esse e outros livros que mencionaremos mais tarde porque eles têm uma relação estreita com o assunto do ambiente, ao qual voltaremos agora.

Ambiente

Como já dissemos, absorvemos impressões sensoriais do ambiente que nos cerca. Ambiente, no sentido em que usamos o termo aqui, cobre um campo muito amplo. Inclui os livros que lemos, as pessoas com quem nos associamos, a comunidade em que vivemos, a natureza do trabalho a que nos dedicamos, o país em que moramos, as roupas que vestimos, as canções que cantamos e os pensamentos que temos!

O objetivo da nossa discussão sobre o assunto do ambiente é mostrar sua relação direta com a personalidade que estamos desenvolvendo, e a importância de criar um ambiente a partir do qual possamos desenvolver o "objetivo principal" que definimos!

A mente se alimenta daquilo que fornecemos por meio do ambiente; portanto, vamos selecionar nosso ambiente com o objetivo direto de suprir a mente com material adequado a partir do qual possamos realizar seu trabalho de realizar nosso "objetivo principal".

Se o seu ambiente não é do seu agrado, mude-o! O primeiro passo a ser dado é criar em sua mente uma imagem exata do ambiente no qual você acredita que poderia fazer seu melhor trabalho, e do qual você provavelmente tiraria aqueles sentimentos carregados de emoção e as qualidades que o impeliriam na direção de seu objetivo desejado.

O primeiro passo que você deve dar em cada realização é a criação, na mente, de um esboço ou imagem exata do que pretende construir na realidade. Isso é algo que você não pode esquecer! Essa grande verdade se aplica à construção de um ambiente desejável da mesma forma que se aplica a tudo o mais que você queira criar.

As pessoas com quem você se associa diariamente constituem a parte mais importante e influente do ambiente para seu progresso ou retrocesso. Será muito benéfico para você selecionar, como associadas, pessoas que simpatizam com seus objetivos e ideais e cuja atitude mental inspire entusiasmo, determinação e ambição. Se, por acaso, você tem em sua lista de associados uma pessoa que nunca vê nada, exceto o lado negativo da vida - uma pessoa que está sempre reclamando e choramingando - uma pessoa que fala sobre o fracasso e as deficiências da humanidade - remova essa pessoa de sua lista o mais rápido possível.

Cada palavra pronunciada ao alcance de seus ouvidos, cada visão que atinge seus olhos e cada impressão sensorial que você recebe de qualquer outra maneira influencia seu pensamento tão certamente quanto o sol nasce no leste e se põe no oeste! Sendo isso verdade, você não percebe como é importante controlar, tanto quanto possível, as impressões sensoriais que chegam à sua mente? Você não percebe a importância também de controlar, na medida do possível, o ambiente em que vive? Você não consegue ver a importância de ler livros que tratam de assuntos que têm uma relação direta com o seu "objetivo principal"? Você não percebe a importância de conversar com pessoas que simpatizam com você e com seus objetivos - pessoas que vão encorajar e incentivar você a fazer um esforço maior?

Por meio do princípio da sugestão, cada palavra pronunciada ao alcance de seus ouvidos e cada visão capturada por seus olhos está influenciando sua ação. Você está, consciente ou inconscientemente, absorvendo, assimilando e se apoderando de ideias, pensamentos e atos daqueles com quem se associa. A associação constante com mentes malignas, com o tempo, moldará sua própria mente em conformidade com a mente perversa. Esse é o principal motivo pelo qual devemos evitar companhias "ruins". Associar-se a pessoas de má reputação lhe colocará em descrédito na mente dos outros e isso, por si só, é razão suficiente para você evitar tais associados, mas a razão mais importante para isso é estar constantemente absorvendo as ideias de seus associados e torná-las parte de você!

Estamos vivendo no que chamamos de ambiente de uma civilização do século 20. Os principais cientistas do mundo concordam que a natureza está há milhões de anos criando, por meio do processo de evolução, nosso atual ambiente civilizado como é representado pelo atual estado de desenvolvimento intelectual e físico do homem.

Temos apenas que parar e considerar que o ambiente fará, em menos de vinte anos, aquilo que a natureza, em seu processo de evolução, levou milhares de anos para realizar, para ver a poderosa influência do ambiente. Um bebê selvagem, criado por seus pais selvagens, permanece um selvagem; mas esse mesmo bebê, se criado por uma família civilizada refinada, despreza suas tendências selvagens e quase todos os instintos selvagens, absorvendo o ambiente civilizado em uma geração.

Por sua vez, a raça regride tão rapidamente quanto progride, por influência do meio ambiente. Na guerra, por exemplo, homens refinados, que, em circunstâncias normais, estremeceriam com a ideia de matar um ser humano, tornam-se assassinos entusiasmados, que realmente se sentem gratificados com isso. São necessários poucos meses de preparação em um "ambiente de guerra" para fazer um homem retroceder em sua evolução para o estágio em que encontramos os índios quando assumimos o controle da América do Norte, em relação à vontade de matar.

As roupas que você veste influenciam você; portanto, fazem parte do seu ambiente. Roupas sujas ou surradas lhe deprimem e diminuem sua autoconfiança, enquanto roupas limpas, recatadas e refinadas promovem uma espécie de sentimento de coragem que faz você acelerar o passo ao andar. Não precisamos apontar como você se sente diferente vestido com suas roupas de trabalho e as roupas de domingo, pois você já percebeu essa diferença muitas vezes. Em umas, você quer se afastar de pessoas que estão mais bem-vestidas do que você e, em outras, você encontra as pessoas em igualdade de condições, com coragem e autoconfiança. Portanto, não apenas os outros nos julgam por nossas roupas no primeiro encontro, mas nós nos julgamos em grande parte por nossas roupas. Como prova disso, note a sensação de desconforto e desânimo que experimentamos se nossa roupa íntima estiver suja, mesmo que as outras vestimentas estejam em perfeito estado e de acordo com o estilo mais moderno, e a roupa de baixo não possa ser vista.

As mulheres gastam relativamente mais com a roupa íntima do que com a roupa externa, e embora a roupa de baixo não possa ser vista por ninguém exceto elas mesmas, elas dedicam dias e até semanas de trabalho árduo a costuras sofisticadas e rendas para as roupas íntimas. Isso parece ter uma influência considerável sobre o nosso assunto quando paramos para pensar que as mulheres têm muito mais orgulho, senão, de fato, mais coragem mental, do que os homens. Os babados extras e o toque adicional de arte que elas adicionam às suas roupas têm seu papel – e um papel muito forte, aliás – na explicação do passo mais rápido de uma mulher, em sua agilidade superior e na graça tradicional de movimentos.

Já que estamos falando de roupas, quero relatar uma experiência que tive uma vez e me fez pensar no importante papel que as roupas desempenham na coragem mental ou na falta dela. Certa vez, fui convidado para visitar o laboratório de um conhecido professor de cultura física. Quando estava lá, ele me convenceu a tirar a roupa e aceitar, grátis, um tratamento simples. Após o término do tratamento, fui conduzido à sua presença por um atendente, em um escritório bem equipado, vestindo apenas a sunga com que havia feito o tratamento. Do outro lado de uma grande escrivaninha de mogno estava meu amigo, o professor de cultura física, vestindo um terno elegante e formal. O contraste entre mim e ele era tão grande e tão inevitavelmente perceptível, que me constrangeu. Eu me senti como imagino que se sentiu o homem míope que certa vez cometeu o erro de sair de seu camarim para um salão de baile lotado, pensando que estava entrando em um closet onde estavam suas roupas.

Não foi por mero acidente que fui conduzido à presença desse professor em trajes menores! Ele era um psicólogo prático e sabia muito bem que efeito teria sobre um possível comprador de seu curso de cultura física ser colocado em tamanha desvantagem. A recepção foi "encenada", em outras palavras, e o ator principal que dirigia a peça de maneira muito eficiente era o homem do outro lado da mesa, que usava roupas adequadas.

Com essa configuração, esse professor me convenceu a comprar seu curso, o que eu fiz. Depois de voltar às minhas roupas normais e ao meu ambiente habitual e analisar a visita, pude ver claramente que a venda foi fácil no cenário que esse homem havia preparado com muito engenho.

Boas roupas nos afetam de duas maneiras. Primeiro, nos dão mais coragem e mais autoconfiança, o que por si só justificaria a decisão de usarmos roupas adequadas, mesmo com exclusão de alguma outra necessidade menos importante. Em segundo lugar, elas impressionam os outros a nosso favor. A primeira impressão sensorial que atinge a mente daqueles que encontramos chega até eles por meio do sentido da visão, quando olham para nós rapidamente e fazem um inventário mental de nossas vestimentas. Dessa forma, uma pessoa muitas vezes forma uma opinião boa, má ou indiferente sobre nós, antes mesmo de pronunciarmos uma palavra, baseada inteiramente na impressão que nossas roupas e a maneira como as vestimos causam em sua mente.

O dinheiro investido em boas roupas não é um luxo, mas um sólido investimento empresarial que renderá ótimos dividendos. Simplesmente não podemos nos dar ao luxo de negligenciar nossa aparência pessoal, tanto pelo efeito que isso terá sobre nós quanto pela impressão que causa naqueles com quem entramos em contato social, comercial ou profissional, de acordo com nossa ocupação. Boas roupas não são uma extravagância - são uma necessidade! Essas declarações são baseadas em princípios cientificamente sólidos. A parte mais importante de nosso ambiente físico é aquela que criamos com as roupas que vestimos, porque essa parte específica de nosso ambiente afeta a nós mesmos e a todos com quem entramos em contato.

Além das roupas, um fator importante que constitui o nosso ambiente é o escritório ou a loja onde trabalhamos. As experiências provaram conclusivamente que um trabalhador é influenciado de maneira decisiva pela harmonia, ou falta dela, no ambiente que o rodeia durante seu horário de trabalho. Uma loja ou escritório desorganizados, caóticos e sujos tendem a deprimir o trabalhador e diminuir seu entusiasmo e interesse pelo trabalho, enquanto um local de trabalho bem organizado, limpo e sistemático tem o efeito exatamente oposto.

Os empregadores que, nos últimos anos, compreenderam como utilizar os princípios da psicologia para aumentar a eficiência de seus empregados, descobriram a vantagem, em dólares e centavos, de oferecer lojas e escritórios limpos, confortáveis e harmoniosos.

Entre os aparelhos instalados pelos empregadores mais progressistas, como tática para aumentar o entusiasmo e a eficiência dos seus funcionários, encontramos *playgrounds*, quadras de tênis, salas de descanso bem equipadas, bibliotecas e salas de leitura decoradas com quadros e esculturas que tendem a produzir uma condição de serenidade na mente dos funcionários.

O dono de uma lavanderia em Chicago, um homem progressista extraordinário, superou claramente a concorrência, em particular em tempos quando é difícil obter ajuda, instalando em sua sala de trabalho um piano elétrico e uma jovem bem-vestida que cuida de seu funcionamento durante o expediente.

A sala de passar roupa fica no piso térreo, e a aparência elegante das funcionárias, vestidas com uniformes brancos – bonés e aventais – e exibindo expressões animadas e alegres, é um de seus melhores anúncios, sem mencionar o aumento na produção de cada uma delas nesse ambiente harmonioso.

Compare essa cena com a aparência da lavanderia comum, onde as mulheres têm aparência rude, e a sala de trabalho desorganizada parece uma loja de trapos, e você verá prontamente a vantagem do sistema mais progressivo, um benefício que leva em consideração tanto o aumento dos lucros do empregador quanto o conforto do empregado.

Não está longe o tempo em que algum tipo de música será uma necessidade em todas as lojas onde homens e mulheres trabalham com suas mãos. A música produz harmonia e entusiasmo, ambos essenciais para que o trabalhador alcance máxima eficiência. Um homem não pode ser altamente eficiente, a menos que ame seu trabalho e o ambiente – seu local de trabalho. Com a seleção da música certa, a produção de um operário poderia ser aumentada de dez a cinquenta por cento, sem nenhuma fadiga.

Durante os tempos de guerra, quando a maioria dos trabalhadores da América está envolvida na manufatura de um ou outro material de guerra, pense na inspiração, na maior força dos movimentos de um homem, no maior número de passos que ele poderia dar se estivesse acompanhando o ritmo de "Over There", ou alguma outra música comovente, como "Dixie" ou "Yankee Doodle"! Nessas condições, um homem poderia facilmente dobrar sua produção em muitas linhas de trabalho e ainda se sentir menos cansado à noite!

Se você duvida de que a música deixa alguém alheio ao tempo e ao esforço, estude as pessoas que estão dançando ou patinando ao som de uma boa música. Uma pessoa pode dançar ou patinar até meia-noite, depois de ter tido um dia duro de trabalho na loja ou no escritório, e ainda se sentir perfeitamente descansada para o trabalho no dia seguinte, se houver boa música.

Às vezes paramos para pensar por que mais empregadores não aprendem uma lição com o dançarino ou patinador e usam, para estimular os esforços dos trabalhadores na oficina ou no escritório, a mesma psicologia que sustenta dançarinos e patinadores em horas de trabalho físico mais árduo, sem cansaço algum!

Os mais competentes "engenheiros em eficiência" não demoraram a compreender a importância do uso dessa psicologia ao traçarem planos para as condições de trabalho em lojas e escritórios. Sempre que ocorre aumento na eficiência humana, ela começa na mente! Os homens produzem melhores resultados porque querem! Agora, o problema é encontrar formas e meios, dispositivos e equipamentos, ambiente e entorno, atmosfera e condições de trabalho para fazer homens e mulheres quererem trabalhar mais e melhor!

O ambiente é a primeira coisa que o "consultor de eficiência" realmente eficiente estuda. Um homem não pode ser um consultor de eficiência competente sem ser também um psicólogo.

Estou totalmente convencido, depois de fazer uma retrospectiva de minha experiência de menino do campo, de que, se eu estivesse envolvido no negócio da agricultura e tivesse que depender de garotos para me ajudar no trabalho, manteria nas proximidades um campo de beisebol e outros jogos que os rapazes gostam de praticar e, de vez em quando, terminaríamos uma determinada tarefa ou trabalho pré-programado e, em seguida, correríamos para o campo de futebol para dar uma voltinha no "construtor de entusiasmo"!

Com esse incentivo para esperar, um menino (e somos, na maioria, apenas meninos crescidos) produziria mais e sentiria menos fadiga do que sem ele. Aquele antigo axioma de que "só trabalhar sem se divertir faz do homem um chato" é mais do que um axioma – é uma verdade científica!

Em algum lugar, algum dia, algum supervisor, superintendente ou gerente, ou talvez algum trabalhador, lerá esta lição e entenderá o valor prático de entreter os homens enquanto trabalham e proporcionar a eles um ambiente agradável e harmonioso. E não verá apenas o valor prático da ideia, mas, melhor ainda, ele a porá em prática e fará dela uma ferramenta para desempenhar uma liderança proeminente!

Talvez você seja esse homem ou mulher!

Se você colocou em prática com fidelidade as sugestões apresentadas na lição sobre construção da autoconfiança, sem dúvida está se encaminhando para a liderança. O que precisa agora é de uma grande ideia para completar a jornada. Pode ser que nestas páginas você encontre essa ideia!

Uma grande ideia é tudo de que qualquer pessoa realmente precisa nesta vida. Muitos passam pela vida com muitas ideias pequenas, mas nenhuma grande ideia! Quando você encontrar sua grande ideia, muito provavelmente, a encontrará em algum tipo de serviço que será útil e construtivo para seus semelhantes! Pode ser a ideia de baixar o custo de alguma necessidade da vida para o consumidor; ou, pode ser a ideia de ajudar homens e mulheres a descobrirem o maravilhoso poder da mente humana e como fazer uso dele; ou pode ser a ideia de ajudar homens e mulheres a serem mais alegres e felizes em seu trabalho, criando algum plano para melhorar seu ambiente de trabalho. Se não prometer nenhum desses resultados, pode ter certeza de que não é uma grande ideia.

Em todo o mundo industrial e comercial, prevalece um clima de inquietação entre os trabalhadores. Provavelmente, o maior problema mundial que a raça humana enfrenta agora é a questão da inquietação entre os trabalhadores. Tanto os líderes trabalhistas quanto os líderes financeiros estão cientes da insatisfação generalizada e crescente entre os trabalhadores, e ambos estão igualmente cientes de que o problema precisa de uma orientação imediata e sábia.

Que oportunidade essa situação oferece para alguém criar sua grande ideia! Fama e fortuna aguardam o homem que resolver qualquer parte do grande problema que o clima de inquietação entre os trabalhadores propõe ao mundo. Quando esse problema for resolvido, no todo ou em parte, a questão de fornecer um ambiente agradável no qual os trabalhadores possam produzir, certamente, terá um papel importante.

Pode ser que, nesse assunto da inquietação entre os trabalhadores, você encontre sua grande ideia. A que causa mais digna você poderia dedicar a vida, além de ajudar a melhorar o ambiente daqueles que ganham a vida com as próprias mãos? Que satisfação maravilhosa têm aqueles cuja grande ideia é encontrada nesse grande campo em que nos esforçamos para fazer felizes os que lutam à margem da vida!

Pode ser que esse campo de esforço nem sempre dê um retorno tão grande em dólares e centavos, mas é certo que seus trabalhadores desfrutarão do ambiente mental sereno e harmonioso que sempre é encontrado por aqueles que dão a vida pela elevação e pelo esclarecimento da humanidade. A propósito, chegamos ao ponto adequado para discutir a última fase do ambiente, que é o ambiente mental.

Até agora, estivemos discutindo o lado puramente físico do ambiente, como as roupas que vestimos, os equipamentos que usamos, a sala onde trabalhamos, as pessoas com quem nos associamos e assim por diante. Entre os lados físico e mental do ambiente, o lado mental é de maior importância. O ambiente mental é representado pela condição de nossas mentes. Em última análise, o ambiente físico é apenas o material com o qual criamos o ambiente mental. O estado mental exato existente em um determinado momento é o resultado de impressões sensoriais que atingiram a mente a partir do ambiente físico, em um momento ou outro, e constituem nosso ambiente mental.

Podemos nos colocar acima e além de um ambiente físico negativo criando em nossa imaginação um ambiente positivo, ou excluindo todos os pensamentos sobre ele, mas um ambiente mental negativo não pode ser evitado – ele precisa ser reconstruído. A partir do ambiente mental criamos todos os impulsos para a ação corporal; portanto, se nossas atividades musculares e corporais forem dirigidas com sabedoria, devem emanar de um ambiente mental saudável. Assim, afirmamos que entre os ambientes mental e físico, o primeiro é de maior importância.

Resumo

Aprendemos nesta lição o papel que ambiente e hábito desempenham no sucesso ou no fracasso de uma pessoa. Aprendemos que existem duas fases do ambiente, uma mental e outra física, e que o lado mental é criado a partir do físico. Aprendemos, portanto, a importância de controlar, na medida do possível, o ambiente físico, porque ele é a matéria-prima com a qual construímos o ambiente mental.

Aprendemos como fazer e desfazer hábitos, por meio da persistência e da autossugestão. Aprendemos que tanto a autossugestão quanto a concentração desempenham um papel importante na criação de qualquer hábito.

Aprendemos que a tendência da mente humana é absorver o ambiente à sua volta e padronizar seus impulsos para a ação muscular e corporal. Aprendemos, portanto, que o meio ambiente é a matéria-prima com a qual moldamos nossas ideias e nosso caráter. Aprendemos que o ambiente em que vivemos é tão forte, que uma mente sã pode absorver tendências criminosas pela associação inadequada com mentes criminosas, por meio de instituições penais inadequadas, etc.

Aprendemos que as roupas que vestimos constituem parte importante do nosso ambiente físico e que nos influenciam, bem como àqueles com quem entramos em contato, seja de maneira negativa ou positiva, conforme sua adequação.

Aprendemos a importância de proporcionar aos trabalhadores um ambiente físico agradável e harmonioso e que isso pode gerar maior eficiência.

O caminho fácil (The Easy Road)

G.S.W.

Quantos buscam a alegria,
Que amor e amizade fornecem,
Esquecendo de ser amigáveis,
Enquanto pedem por um amigo.
Quantos buscam posição
E as tarefas mais importantes a fazer,
E se esforçar em comandar muitos
Enquanto são desleais com os poucos.
Quantos fixam o olhar
Nas montanhas perdidas em luz,
Mas desdenham da cansativa escalada
Que os leva ao cume.
E escolhendo condições falsas,
Quantos reclamam,

Porque as leis da vida são imutáveis
E verdade e justiça reinam.
Porque, como a Maomé,
A vida ensina a cada um
Que todos podem ir à montanha
A montanha não vai a ninguém.

Para todas as mentes sinceras e curiosas, a Natureza declara: "Diga-me o que você quer. Eu posso conseguir para você". Mas a maioria não sabe o que quer; nem quer a mesma coisa duas vezes consecutivas. É por isso que mais sonhos não se realizam. Adote um "objetivo principal" na vida.

LIÇÃO 8

Como lembrar

Os princípios pelos quais se pode cultivar a memória precisa e organizada compõem um dos principais temas da psicologia.

Que maravilhoso "dom" é o de uma memória perfeita – a capacidade de lembrar nomes e rostos de pessoas que conhecemos e impressões sensoriais que chegaram à mente subconsciente por meio do que chamamos de "experiência".

Não precisamos tentar lhe convencer de que uma memória confiável é uma vantagem, porque você já sabe disso. Vamos, então, discutir os três princípios principais da memória, que são brevemente definidos como segue:

1. ***Retenção*** – Recebimento da impressão sensorial por meio de um ou mais dos cinco sentidos e o registro dessa impressão na mente subconsciente. Esse processo pode ser comparado à gravação de uma imagem na placa sensível de uma câmera.
2. ***Recordação*** – Reviver as impressões sensoriais que foram gravadas na mente subconsciente e trazê-las para a mente consciente. Esse processo pode ser comparado ao ato de examinar um arquivo de fichas e puxar uma em que dados foram registrados anteriormente.

3. ***Reconhecimento*** – A capacidade de reconhecer uma impressão sensorial quando é chamada à mente consciente e identificá-la como uma duplicata da original. Isso nos permite distinguir entre "memória" e "imaginação".

Como usar com eficiência esses três princípios

Primeiro: torne a primeira impressão vívida concentrando sua atenção nela, nos mínimos detalhes. Assim como o fotógrafo toma o cuidado de dar um tempo de "exposição" adequado para gravar na placa sensível da câmera, também devemos dar tempo à mente subconsciente para registrar adequadamente qualquer impressão sensorial que desejamos poder recordar com prontidão.

Segundo: associe aquilo que deseja lembrar a algum objeto, nome ou lugar com o qual esteja bastante familiarizado e que pode lembrar a qualquer momento sem esforço, por exemplo, sua cidade natal, sua mãe, seu amigo próximo, etc.

Terceiro: repita aquilo de que deseja lembrar várias vezes, ao mesmo tempo que concentra a mente nisso. O grande problema de não conseguir lembrar nomes, que a maioria de nós tem, se deve inteiramente ao fato de não registrarmos o nome adequadamente em primeiro lugar. Quando for apresentado a uma pessoa cujo nome deseja lembrar instantaneamente, pare e repita o nome dela duas ou três vezes, certificando-se antes de que entendeu o nome de forma correta.

Uma memória precisa é algo que você pode adquirir exatamente da mesma maneira que o fotógrafo adquire precisão em sua arte, ou seja, expondo de forma adequada o negativo de modo que todas as características, contornos, luzes e sombras do objeto fotografado sejam gravados nas placas sensíveis da mente subconsciente!

Existem muitos cursos exclusivos sobre o tema do treinamento da memória, alguns bastante extensos. Tudo o que você precisa, entretanto, é compreender os princípios fundamentais pelos quais a memória funciona, e logo poderá desenvolver uma memória precisa. Para isso, você não precisa seguir nenhuma fórmula, mas inventar seu próprio método. Algumas memórias notavelmente precisas foram desenvolvidas apenas com o uso do princípio da concentração.

Regras e fórmulas são confusas. O melhor método a seguir é obter uma compreensão clara dos princípios fundamentais por meio dos quais a memória pode ser desenvolvida e, então, aplicar esses princípios do seu jeito. A seguir ilustro a simplicidade relativa com a qual um homem desenvolveu uma memória precisa.

Como eu trouxe de volta uma mente errante

> Tenho cinquenta anos. Durante uma década, fui gerente de departamento em uma grande fábrica. No início, minhas tarefas eram fáceis; então, a empresa passou por uma rápida expansão, o que me deu responsabilidades adicionais. Vários rapazes do meu departamento desenvolveram uma energia e habilidade incomuns - pelo menos um deles estava de olho no meu emprego.
>
> Eu tinha atingido aquela idade em que um homem gosta de estar confortável, e como estava na empresa havia muito tempo, senti que poderia me acomodar com segurança em um lugar mais fácil. O efeito dessa atitude mental foi quase desastroso para minha posição.
>
> Há cerca de dois anos, percebi que minha capacidade de concentração estava enfraquecendo e meus deveres se tornavam enfadonhos. Negligenciava minha correspondência até olhar

com pavor para a formidável pilha de cartas; relatórios acumulados, e os subordinados ficarem incomodados com o atraso. Sentava-me à mesa com a mente vagando em outro lugar.

Outras circunstâncias mostraram claramente que minha mente não estava me servindo; esqueci de comparecer a uma reunião importante dos diretores da empresa. Um dos funcionários sob meu comando percebeu um erro grave cometido em uma estimativa de um carregamento de mercadorias e, é claro, providenciou para que o gerente soubesse do incidente.

Fiquei totalmente alarmado com a situação e pedi uma semana de férias para pensar sobre as coisas. Eu estava determinado a me demitir, ou encontrar o problema e resolvê-lo. Alguns dias de séria introspecção em um resort afastado nas montanhas me convenceram de que eu estava sofrendo de um caso claro de mente errante. Faltava concentração; minhas atividades físicas e mentais no trabalho tornaram-se incertas. Eu era descuidado, indiferente e negligente - tudo porque minha mente não estava alerta no trabalho. Depois de diagnosticar meu caso e me dar por satisfeito, procurei o remédio. Evidentemente, eu precisava de um novo conjunto completo de hábitos de trabalho e resolvi adquiri-los.

Com papel e lápis, desenhei um cronograma para cobrir o dia de trabalho: primeiro, o correio da manhã, depois os pedidos a serem atendidos, ditado, reunião com subordinados e tarefas diversas, terminando por deixar a mesa limpa antes de sair.

"Como um hábito é formado?"Eu me perguntei mentalmente. "Por repetição", foi a resposta. "Mas eu tenho feito essas coisas milhares de vezes", o outro sujeito em mim protestou. "Verdade, mas não de maneira ordenada e concentrada", respondeu o eco.

> Voltei ao escritório com a mente sob controle, mas inquieto, e coloquei meu novo horário de trabalho em vigor imediatamente. Eu desempenhava as mesmas funções com o mesmo entusiasmo e, tanto quanto possível, no mesmo horário todos os dias. Quando minha mente começava a divagar, eu a trazia rapidamente de volta.
>
> A partir de um estímulo mental criado pela força de vontade, progredi na construção de hábitos. Dia após dia, praticava concentração de pensamento. Quando descobri que a repetição era confortável, soube que tinha vencido.

Tenha sempre em mente que este é um curso de psicologia "aplicada" e que seu principal objetivo é dar uma boa compreensão das qualidades por meio das quais você pode obter sucesso em todos os seus empreendimentos.

Não faremos nenhuma tentativa neste curso para aderir aos velhos métodos de pedagogia. Você começou a adquirir informações sobre a mente humana e a averiguar a relação entre a mente e seu objetivo de ter sucesso no trabalho. Você quer psicologia prática e aplicada, em vez de psicologia teórica! Você quer entender a relação entre os princípios da psicologia e o negócio de ganhar a vida e ser feliz enquanto a ganha!

Sentimos que é nosso dever com você, portanto, sair do nosso laboratório em busca de dados para ilustrar os princípios da psicologia. Sentimos que é nosso dever mostrar como os princípios abordados neste curso realmente funcionam no mundo prático de negócios. Ao fazer isso, nos sentimos na liberdade de tirar proveito das experiências de homens que usaram esses princípios e transmitir a você os resultados. Citando a seguinte história, mostramos um exemplo relevante da vantagem de uma memória precisa, bem como de alguns métodos muito simples com os quais cultivar essa memória.

Um grande empresário com uma memória maravilhosa

A América tem um homem com uma memória maravilhosa, desenvolvida por observação atenta, imaginação viva e indomável esforço e perseverança.

A geografia de cada país está traçada em sua mente de maneira tão clara quanto as ruas de sua cidade natal em Connecticut. Ele carrega na mente uma imagem em movimento de toda a Terra. O cartunista poderia retratá-lo apropriadamente substituindo sua cabeça pelo globo.

Ele não é nem armador nem capitão, mas tem um conhecimento prático de navegação comparável ao de qualquer armador ou capitão vivo.

Ele não é funcionário da alfândega nem especialista em tarifas, mas carrega na cabeça informações detalhadas sobre tarifas e direitos aduaneiros nacionais e internacionais.

Na grande organização da qual ele é presidente há 270 mil funcionários - sim, 270 mil, ou mais do que a população de St. Paul ou Louisville ou Denver ou Atlanta.

Ele se senta em sua mesa em Nova York e conversa com autoridades operacionais e comerciais dessa vasta indústria, um terço em todo o continente, fazendo sugestões e recomendações relacionadas aos diversos detalhes da maior organização industrial do mundo.

Sua agenda de compromissos e encontros com pessoas tem, em média, de quarenta a cinquenta registros por dia, ou entre 1.200 e 1.500 por mês, e além disso ela ainda consegue manter uma extensa correspondência.

Ele está familiarizado com cada fase minuciosa de sua área de produção e vendas, um negócio operado a uma taxa de três milhões de dólares por dia, ou não muito menos que um bilhão de dólares por ano.

A memória maravilhosa de James A. Farrell

Interrogado uma vez no banco das testemunhas sobre quais ingredientes entram nos produtos de vinho, ele respondeu: "Entre duzentos e trezentos. Devo relacioná-los?" Interrogado novamente: "Quantos concorrentes tem a American Bridge Company, uma de suas subsidiárias?" Ele respondeu, "Trezentos e sessenta e oito", e ocupou a manhã dando endereços, capacidades e natureza do trabalho produzido por eles.

Questionado, entre milhares de outras perguntas, se as condições de transporte de carga para certas partes da América do Sul eram boas ou ruins, ele imediatamente respondeu: "Cento e cinquenta e oito navios partiram daqui para o Rio da Prata no ano passado, o suficiente para o volume de tonelagem oferecida".

Esse dicionário geográfico vivo do mundo, esse atlas ambulante, essa enciclopédia internacional, esse feiticeiro comercial, esse fenômeno industrial, é James A. Farrell, ex-trabalhador, agora presidente da United States Steel Corporation.

Durante dez dias, o Sr. Farrell ocupou o banco das testemunhas durante o processo do governo contra a empresa siderúrgica e, sem consultar livros, papéis, ou dados de qualquer tipo, respondeu a todas as perguntas feitas por eles. Não precisou responder: "Não sei". Ele parecia saber de tudo e lembrar de tudo. Esta, por exemplo, foi sua resposta - dada sem anotações ou documentos - à pergunta: "Você consegue lembrar que porcentagem dos negócios de cada uma das subsidiárias da empresa siderúrgica era estrangeira em 1910 e em 1912?"

"Sim, a Carnegie Steel Company, 21% em 1910, 24% em 1912; a National Tube Company, 10% em 1910, 12% em 1912; a American Sheet and Tin Plate Company, 11% em 1910, 20% em 1912; a American Steel & Wire Company, 17% em 1910, 20% em 1912; a Lorain Steel Company, 30% nos dois períodos; a American Bridge Company, 6% em 1910, 8,5% em 1912; a Illinois Steel Company, 1,2% em 1910, 2,4% em 1912."

O juiz e todos ficaram boquiabertos.

"A mente daquele homem é uma mistura de caixa registradora e calculadora que funciona por conta própria", observou um dos advogados.

O conhecimento extraordinário do senhor Farrell sobre fabricação e venda de aço – ele trabalhou durante anos nas fábricas e em muitos departamentos da indústria e durante anos na estrada como vendedor; seu conhecimento incomparável sobre navegação e países estrangeiros – ele viajou pela primeira vez com o pai, que era capitão de um navio construído no Maine, quando tinha 12 anos, e desde então viajou por muitas terras; sua familiaridade com as tarifas estrangeiras e as condições comerciais em todo o mundo – tudo isso ele transformou em uma conta lucrativa para si mesmo e ainda mais para seu país, aumentando a exportação de produtos de ferro e aço de sua empresa de menos de US$ 3 milhões há uns dez anos para mais de US$ 100 milhões no ano passado, uma conquista no comércio internacional não alcançada por nenhum outro americano do passado ou do presente.

O presidente do aço fala sobre adquirir uma boa memória

"Para cultivar uma boa memória", de acordo com o Sr. Farrell, "no início é preciso esforço - muito esforço. Com o tempo, torna-se fácil e natural lembrar das coisas. Manter as coisas na mente torna-se um hábito."

Sir Arthur Conan Doyle propôs a ideia certa em seus textos. Você deve se concentrar. Não deve carregar nenhuma bagagem mental inútil. Deve se concentrar nas coisas que interessam e eliminar da memória tudo o que não interessa. Deve haver não só uma faxina de primavera, mas uma faxina diária da memória, por assim dizer, a fim de abrir espaço para novos depósitos de informações úteis.

James J. Hill, que talvez tenha uma das memórias mais impressionantes entre todos os homens no país, costumava dizer que é fácil lembrar de coisas pelas quais se tem interesse. Quem deseja adquirir conhecimento abrangente sobre o próprio negócio, ou sobre qualquer assunto específico, não deve tentar armazenar na mente detalhes infinitos sobre outras coisas. Por exemplo, tentei aprender tudo o que pude sobre o ramo do aço em seus ramos de mineração, manufatura, venda e transporte, mas para me permitir carregar informações de negócios em minha cabeça, não tentei reter nela detalhes minuciosos sobre política ou beisebol.

Absorva o que é essencial para você – isto é, tudo que pertence ao seu campo de atuação. Elimine da mente assuntos não essenciais e estranhos. Nenhuma célula do cérebro humano jamais conseguiu armazenar todos os fatos sobre todos os assuntos sob o sol. Não obstrua suas células cerebrais com impedimentos. Alimente-as apenas com material vital, com coisas que vão aumentar sua utilidade em seu ramo de atuação, aumentando e melhorando seu estoque de informações necessárias.

"Como um jovem pode começar a melhorar sua memória?", perguntei.

Uma dica para jovens empresários

A melhor base para a construção de uma memória forte é cultivar a capacidade para o trabalho. Bons hábitos também contribuem para uma boa memória; hábitos descuidados tendem a distrair e estragar a memória. É necessário ter a mente limpa para desenvolver uma memória aguçada.

É verdade que a mente cresce com o que se alimenta. A juventude é a época em que a mente e a memória são mais sensíveis, retentivas e plásticas. É especialmente importante, portanto, começar o treinamento adequado da mente desde cedo. É tão difícil desalojar da mente coisas incômodas e inúteis quanto adquirir novos e melhores suprimentos de conhecimento. O que foi malfeito deve ser desfeito - muitas vezes a um custo considerável. Como acontece com a maioria das coisas que valem a pena neste mundo, uma boa memória cobra um preço. Qualquer jovem ou homem que deseja treinar a memória deve estar preparado para pagar o preço. Deve estar preparado para renunciar a uma sequência interminável de prazeres até mesmo inofensivos. Não deve esperar brilhar contínua e conspicuamente nos círculos sociais durante seus anos de formação. Deve estudar enquanto os outros se divertem. Sua leitura deve ser limitada em grande parte a livros, revistas e jornais que o ajudarão a adquirir fatos e uma melhor compreensão de qualquer área ou assunto que esteja determinado a dominar. Ele deve utilizar a maior parte de seu tempo livre e não o desperdiçar.

Embora eu trabalhasse doze horas por dia quando comecei como operário em uma usina de arame aos quinze anos de idade, estudava muito depois de um dia inteiro na fábrica. Tentei aprender tudo o que pude sobre a fabricação de arame e consegui me qualificar como mecânico em pouco mais de um ano. Eu me interessava não apenas pela fabricação de arame e pela manufatura geral de ferro e aço, mas também gostava de vender coisas e fiz o possível para aprender tudo sobre as funções de um vendedor. Quando me tornei vendedor, descobri que minha experiência na fábrica e meu conhecimento da área de manufatura no ramo eram um bem muito valioso quando ia procurar compradores.

Na escola, tinha facilidade para aprender geografia. Meu pai e meu avô eram marinheiros, e talvez isso tenha colaborado para direcionar minha atenção a outras partes do mundo e ampliar minha visão. Era natural que eu considerasse as possibilidades de escoamento de produtos siderúrgicos para o exterior, de modo que, antes de me tornar gerente de vendas internacionais, estudei o assunto com muita seriedade. Como estava interessado, conseguia lembrar o que li e aprendi. Hoje, suponho que conheça bastante sobre os mercados estrangeiros de aço e meios de transporte - como abordar esses mercados.

A abertura de mercados estrangeiros para produtos americanos envolveu, é claro, muito trabalho detalhado. Mas, tendo acostumado minha memória a reter detalhes, o trabalho me atraiu e não foi tão difícil de enfrentar.

É reconhecido em toda a indústria do aço que "Jim" Farrell é inigualável no domínio dos detalhes. Suas respostas aos promotores do Estado os deixaram atordoados. Eles não conseguiam confundi-lo, por mais que tentassem. John D. Rocke-feller costumava dizer aos assessores que, além de conhecer o próprio negócio, a coisa mais importante era saber o que o outro estava fazendo. O Sr. Farrell demonstrou de maneira abundante que não só sabia o que a própria corporação e todas as outras empresas dos Estados Unidos estavam fazendo, como também estava tão familiarizado com a área de ferro e aço em outros países quanto com o processo de fabricação de arame.

A importância de saber tudo sobre o seu trabalho

Alguns executivos declaram tranquilamente que nunca se preocupam com os detalhes, que não sabem nada sobre eles e deixam esse assunto inteiramente nas mãos dos subordinados. Eu estava ansioso para saber a opinião do Sr. Farrell sobre a importância de conhecer os detalhes e cuidar deles adequadamente. Minha pergunta tocou um nervo sensível.

"Não poderia imaginar experiência mais humilhante", respondeu ele, "que ouvir alguma pergunta sobre nossas operações e ser obrigado a mandar chamar um subordinado para responder. Não me consideraria apto para o trabalho, a menos que conhecesse as minúcias do negócio e como cada detalhe é conduzido."

Suponha que o gerente de uma de nossas propriedades se visse repentinamente diante de algum problema e me ligasse direto das fábricas ou minas para pedir orientação; eu não me sentiria extremamente tolo, se não pudesse entender o que ele está falando e perceber exatamente as condições que enfrenta?

> Essa corporação tem muitos funcionários nos departamentos de produção e vendas. Não só encontro e converso com muitos deles periodicamente em meu escritório aqui, ou durante minhas visitas frequentes a nossas diferentes propriedades, como também me esforço para dar a devida atenção às suas comunicações.
>
> Se você fosse gerente de uma grande empresa e escrevesse uma carta ao proprietário sobre algo importante, não gostaria de receber uma resposta superficial de John Smith, um de seus secretários. Da mesma forma, se o presidente ou outro oficial de uma subsidiária me procurar para pedir minha opinião particular, eu reduziria o valor e diminuiria o entusiasmo desse homem se transferisse o assunto para John Smith.

Citamos toda essa história porque é cheia de inspiração que será útil para você. É o equivalente a um bom curso de treinamento de memória, mas é mais - muito mais que isso - é um construtor de ambições que, com certeza, vai fazer você desejar realizar algo que valha a pena!

Um dos principais objetivos deste curso é despertar em você aquela "centelha vital" a que nos referimos por vários nomes, tais como determinação, ambição, etc., e fazer com que ela se desenvolva em uma chama de entusiasmo que levará você a algum tipo de realização maior!

Com certeza você encontrará, em algum lugar deste livro, as pontas soltas dos fios da vida que conduzem ao objetivo desejado! Com certeza, vai encontrar pelo menos uma grande ideia que pode nutrir e desenvolver em um produto acabado que lhe trará sucesso e felicidade. Em qual destes capítulos você encontrará essa ideia, ou se a encontrará em mais de um, não podemos dizer. Você pode encontrar essa ideia em uma única palavra ou frase. Gostaríamos de indicar o capítulo exato, o parágrafo e a frase em que essa ideia se encontra, mas isso é impossível, porque alguns a encontrarão em um lugar, enquanto outros a encontrarão em outro.

Você terá que descobrir por si mesmo e, quando a achar, reconhecerá prontamente. Sabemos que está aqui, porque esta obra cobre todos os princípios por meio dos quais a mente humana funciona, e a mente humana é a causa primeira de tudo que qualquer pessoa já realizou ou realizará.

Por meio deste curso de psicologia aplicada, você voltou à causa primeira de todo poder que o homem tem ou pode usar em qualquer tipo de realização. Está à beira da fonte da qual todas as conquistas humanas são extraídas! Não faz diferença que trabalho você selecionou para sua vida ou que trabalho pretende seguir; vai ter que usar os princípios que são abordados por este curso; portanto, ao estudar para o curso, você está se preparando para o sucesso em qualquer campo de empreendimento a que possa se dedicar no futuro.

Queremos que você entenda esse ponto de vista, porque ele lhe ajudará a procurar de maneira diligente e com intenso interesse o "fio da meada" que, quando desenrolado, levará você à posição desejada na vida.

Para encerrar este capítulo sobre memória, citamos o seguinte do trabalho sobre psicologia aplicada do Dr. Warren Hilton, autor de *Applied Psychology* (conjunto de 12 volumes) e fundador da Society of Applied Psychology.

Um sistema de memória científica para o sucesso empresarial

Nós lembramos coisas por associação. Quando você prepara a mente para lembrar qualquer fato em particular, seu esforço consciente não deve ser desejar vagamente que ele seja gravado e retido, mas conectá-lo de maneira analítica e deliberada a um ou mais fatos já retidos em sua mente.

O aluno que "estuda" para um exame não faz nenhuma adição permanente ao seu conhecimento. Não pode haver recordação sem associação, e "engolir" informação não permite tempo para formar associações.

Se você achar difícil lembrar um fato ou um nome, não desperdice suas energias "desejando" recuperar essa lembrança. Tente se lembrar de algum outro fato ou nome associado a ele em tempo, lugar ou outra coisa, e pronto! Quando você menos esperar, ele aparecerá em seus pensamentos.

Se sua memória é boa na maioria dos aspectos, mas falha em uma linha específica, é porque você não se interessa por essa linha e, portanto, não tem material para associação. A memória de Blind Tom era vazia na maioria dos assuntos, mas ele era uma enciclopédia ambulante de música.

Para melhorar sua memória, você deve aumentar o número e a variedade de suas associações mentais.

Muitos métodos engenhosos, cientificamente corretos, foram criados para ajudar a lembrar fatos específicos. Esses métodos baseiam-se inteiramente no princípio de que é mais fácil lembrar o que está associado em nossa mente aos mais complexos e elaborados agrupamentos de ideias relacionadas.

O mesmo princípio serve de base para toda pedagogia eficiente. O professor competente se esforça para promover alguma associação de ideias que ligue cada novo fato a outros que o aluno já adquiriu.

Ao utilizar esse método, o professor compara tudo que é estranho e distante a algo que é próximo, tornando o desconhecido claro pela amostra do conhecido e conectando toda instrução com a experiência pessoal do aluno. Se o professor for explicar a distância entre o sol e a Terra, que pergunte: "Se alguém aqui no sol disparar um canhão apontado para você, o que você deve fazer?" "Sair da frente", seria a resposta. "Isso não é necessário", o professor pode responder. "Você pode dormir tranquilamente em seu quarto e se levantar de novo, pode esperar o dia da sua crisma, aprender uma profissão e chegar à minha idade – e só então a bala de canhão estará se aproximando; aí você pode pular para o lado! Vejam como é grande a distância do sol!"

Mostraremos agora como aplicar esse princípio para melhorar sua memória e usar de maneira mais completa seu acervo tão vasto de conhecimento.

Regra I: FAÇA USO SISTEMÁTICO DOS SEUS ÓRGÃOS DOS SENTIDOS.

Você acha difícil lembrar nomes? É porque não os vincula em sua mente a associações suficientes. Cada vez que for apresentado a um homem, olhe em volta. Quem está presente? Preste atenção ao maior número possível de fatos e circunstâncias em seu entorno. Pense no nome do homem e olhe novamente para o rosto dele, as roupas, o porte físico. Pense no nome dele e marque o lugar onde está agora, encontrando-o pela primeira vez. Pense no nome dele associado ao nome e à personalidade do amigo que o apresentou.

A memória não é uma faculdade mental distante no sentido em que um homem é generosamente dotado dela, enquanto outro é deficiente. A memória, significando o poder da recordação voluntária, é totalmente uma questão de hábitos treinados de operação mental.

Sua memória é tão boa quanto a minha ou a de qualquer outro homem. O problema é sua indiferença ao que chama de "fatos irrelevantes". Portanto, cultive hábitos de observação. Fortaleça os fatos observados que deseja recordar com uma infinidade de associações externas. Nunca se contente com um mero meio conhecimento das coisas.

Para ajudá-lo a treinar esses hábitos de observação que fazem uma boa memória de fatos externos, anexamos os seguintes exercícios:

(a) Ande lentamente por uma sala com a qual você não está familiarizado. Em seguida, faça uma lista de todos os conteúdos da sala que puder lembrar. Faça isso todos os dias durante uma semana, usando uma sala diferente a cada vez. Não faça isso com indiferença, mas como se sua vida dependesse de sua capacidade de lembrar. No final da semana, você ficará surpreso com o progresso que terá feito.

(b) Conforme caminha pela rua, observe tudo o que ocorre no espaço de um quarteirão, coisas ouvidas e coisas vistas. Duas horas depois, faça uma lista de tudo que conseguir se lembrar. Faça isso duas vezes por dia durante dez dias. Depois compare os resultados.

(c) Desenvolva a prática de relatar todas as noites os incidentes do dia. A perspectiva de ter que fazer isso levará você, inconscientemente, a observar com mais atenção.

Esse é o método pelo qual Thurlow Weed desenvolveu sua memória fenomenal. Quando era um jovem com ambições políticas, ele se preocupava muito com sua incapacidade de lembrar nomes e rostos. Então, começou a praticar todas as noites contando à esposa os mínimos detalhes do que aconteceu durante o dia. Ele manteve essa prática por cinquenta anos, e isso treinou tanto seus poderes de observação que ele se tornou tão conhecido pela memória infalível quanto pela habilidade política.

(d) Olhe uma vez para o mapa de algum estado. Guarde-o e desenhe outro o mais parecido que puder. Em seguida, compare-o com o original. Faça isso com frequência.

(e) Peça a alguém para ler para você uma frase de uma revista e depois a repita. Faça isso diariamente, aumentando aos poucos o comprimento da citação, passando de frases curtas a parágrafos inteiros. Tente descobrir qual é o limite extremo dessa sua capacidade em comparação com a de outros membros de sua família.

Regra II: FIXE IDEIAS POR SUAS ASSOCIAÇÕES.

Há outras coisas para lembrar além de fatos de observação externa. Você não é alguém cuja vida se passa inteiramente em um mundo físico. Você também tem vida interior. Sua mente trabalha incessantemente com os materiais do passado, pintando as imagens do futuro. Você é chamado a planejar, projetar, inventar, compor e prever.

Se todo esse trabalho mental não for desperdício de energia, você deve ser capaz de se lembrar de suas conclusões quando a ocasião exigir. Um pensamento feliz ocorre – você vai se lembrar dele amanhã, quando chegar a hora da ação? Só há uma maneira de saber, e é fazendo um estudo de todo o processo mental associativo.

Reveja a sequência de ideias pela qual chegou à sua conclusão. Leve o pensamento em sua mente à sua conclusão legítima. Veja-se agindo de acordo com isso. Marque as relações dele com outras pessoas.

Observe todos os detalhes da imagem mental. Em outras palavras, para lembrar pensamentos, cultive a observação pelos sentidos para lembrar de assuntos externos.

Para treinar a memória pensada, use os seguintes exercícios:

(a) Todas as manhãs às oito horas em ponto, concentre-se em uma ideia e determine-se a relembrá-la em uma determinada hora durante o dia. Coloque toda sua vontade nessa resolução. Tente imaginar em quais atividades você estará envolvido na hora marcada e pense na ideia escolhida, identificando-a com essas atividades. Associe-a mentalmente a algum objeto que estará à mão quando chegar a hora marcada. Tendo assim fixado a ideia em sua mente, esqueça. Não se refira a ela em seus pensamentos. Com a prática, você vai acabar executando automaticamente as próprias ordens. Persista nesse exercício por pelo menos três meses.

(b) Todas as noites quando for se deitar, estabeleça a hora em que deseja se levantar de manhã. Em relação a acordar nessa hora, pense em todos os sons que poderão ocorrer naquele momento específico. Exclua todos os outros pensamentos da consciência e adormeça com a forte determinação de acordar no horário definido. E claro, levante-se imediatamente ao acordar. Mantenha esse exercício e logo você será capaz de acordar na hora que quiser.

(c) Todas as manhãs, descreva o plano geral de suas atividades para o dia. Selecione apenas as coisas importantes. Não se preocupe com os detalhes. Determine a ordem lógica para o seu dia de trabalho. Não pense tanto em como você deve fazer as coisas, mas nas coisas que deve fazer. Mantenha a mente nos resultados. E tendo feito seu plano, cumpra-o. Seja seu próprio patrão. Não deixe nada desviá-lo do propósito definido. Faça desse planejamento diário um hábito e mantenha-o por toda a vida. Isso será um grande impulso em direção a qualquer conquista que pretenda.

Regra III: PROCURE DE MANEIRA SISTEMÁTICA E PERSISTENTE.

Quando você começar um esforço para lembrar, persevere. A data, rosto ou evento que você deseja recordar estão ligados a diversos outros fatos de observação e de sua vida mental sobre o passado. O sucesso em lembrar depende apenas da capacidade de acessar uma ideia tão indissoluvelmente associada ao objeto de busca que a lembrança de uma evoca a outra de forma automática. Consequentemente, a coisa a fazer é manter sua atenção em uma linha definida de pensamento até que tenha esgotado suas possibilidades. Você deve rever todos os assuntos associados e suprimi-los ou ignorá-los até que o correto venha à mente. Esse pode ser um processo de atalho ou um processo circular, mas trará resultados em nove de cada dez vezes e, se persistir habitualmente, melhorará muito sua capacidade de recordação voluntária.

Regra IV: NO INSTANTE EM QUE VOCÊ LEMBRA UMA COISA A SER FEITA, FAÇA.

Cada ideia que a memória lança em sua consciência carrega consigo o impulso de agir de acordo com ela. Se você não seguir esse impulso, o assunto pode não ocorrer a você ou, quando ocorrer, pode ser tarde demais.

Seu mecanismo mental lhe servirá de maneira fiel somente enquanto você agir de acordo com suas sugestões.

Isso é tão verdadeiro para os hábitos corporais quanto para as questões de negócios. O momento de agir em relação a um assunto importante que agora vem à mente não é "amanhã" ou "daqui a pouco", mas agora.

O que você faz momento a momento conta a história de sua carreira. As ideias que você tem devem ser comparadas quanto à sua importância relativa. Mas faça isso honestamente. Não se deixe levar por impulsos perturbadores que se infiltram inadvertidamente. E, tendo avaliado sua importância, dê liberdade imediatamente ao impulso de fazer tudo que não deva dar lugar a algo mais importante.

Se, por qualquer motivo, a ação tem que ser adiada, fixe o assunto em sua mente para ser invocado no momento adequado. Afaste todos os outros pensamentos de sua consciência. Dê toda a sua atenção a um assunto. Determine o momento exato em que deseja que ele seja lembrado. Em seguida, empenhe-se totalmente na determinação de lembrá-lo de forma precisa no momento certo. E, finalmente, e talvez o mais importante de tudo:

Regra V: TENHA ALGUM SINAL OU LEMBRETE.

Esse sinal para a memória pode ser qualquer coisa que você escolher, mas deve, de alguma forma, estar diretamente conectado com a hora em que o evento principal deve ser lembrado.

Leve a sério a observação dos sinais de memória ou lembrete que tem usado habitualmente. Desenvolva a prática de etiquetar aqueles assuntos que você deseja lembrar com os rótulos que fazem parte de sua máquina mental.

Crie o hábito de fazer as coisas quando devem ser feitas e na ordem em que deve fazê-las. Hábitos como esse são "caminhos" ao longo dos quais a mente "se move", caminhos de menor resistência às qualidades de prontidão, energia, persistência, precisão, autocontrole e assim por diante, que aumentam o sucesso.

Sucesso nos negócios, sucesso na vida, só pode vir por meio da formação de hábitos corretos. Um hábito correto pode ser adquirido deliberadamente apenas quando se faz algo de modo consciente até que se passe a fazê-lo inconscientemente e de forma automática.

Todo homem, consciente ou inconscientemente, forma os próprios hábitos de memória, bons ou ruins. Forme seus hábitos de memória conscientemente de acordo com as leis da mente e, em seu devido tempo, eles agirão inconscientemente e com precisão magistral.

"Entre as sombras das pirâmides", disse Bonaparte a seus soldados, "vinte séculos vos contemplam", e os animou para a ação e a vitória. "Mas todos os séculos", diz W. H. Grove, "e as eternidades, Deus e o universo olham para nós - e exigem a mais elevada cultura de corpo, mente e espírito".

Uma boa memória está ao seu alcance. Mas você deve fazê-la. Podemos apontar o caminho. Você deve agir.

As leis de associação e evocação são a combinação que vai abrir os cofres do tesouro da memória. Aplique essas leis, e a riqueza da experiência estará à sua disposição sempre que precisar.

Resumo

Nesta lição, você aprendeu que concentrar-se no assunto a ser lembrado é um dos principais fatores da memória precisa.

Você aprendeu que, ao associar aquilo que deseja lembrar a algo com o qual está familiarizado e que pode lembrar com facilidade, sua capacidade de lembrar aumenta muito. Você aprendeu que o subconsciente classifica as impressões sensoriais que chegam à mente e arquiva aquelas que são semelhantes ou que têm uma associação próxima, de modo que, quando a coisa com a qual uma impressão sensorial está associada é chamada à mente consciente, traz também aquela impressão sensorial.

Você aprendeu que a repetição permite que a mente subconsciente obtenha uma imagem clara da impressão sensorial que você deseja gravar na memória e que, repetindo várias vezes o nome daquilo que deseja lembrar, não terá problemas para lembrar quando desejar.

ASSOCIAÇÃO - CONCENTRAÇÃO - REPETIÇÃO são os três principais aliados da memória!

Você aprendeu que a indiferença no momento em que uma impressão sensorial é criada é o principal motivo para uma memória fraca. Ao lado disso, na lista dos três principais inimigos da memória se dividem a atenção no momento da impressão sensorial e a falta de concentração.

Você também aprendeu, por meio da história do Sr. Farrell, a relação entre uma memória precisa e o sucesso no trabalho que escolheu para sua vida.

Se o tema memória tivesse que ser definido em uma frase curta, escreveríamos esta frase da seguinte forma:

"Concentre toda sua atenção naquilo que deseja lembrar, imagine, repita em voz alta e, em seguida, associe esse objeto a alguma pessoa ou lugar que você possa lembrar prontamente a qualquer momento."

LIÇÃO 9

Como Marco Antônio usou sugestão para conquistar a turba romana

Há alguns anos, recebi um telefonema do secretário do Clube de Imprensa. Ele disse: "Aqui é o Sr. Blank, secretário do Clube de Imprensa. Liguei para parabenizá-lo por ter sido eleito membro deste clube. Você foi eleito ontem à noite, e mandarei um representante do escritório hoje à tarde para colher sua assinatura no pedido de adesão".

Agradeci e, ainda boquiaberto, desliguei o telefone. Em mais ou menos uma hora, um jovem entrou em meu escritório, aproximou-se corajosamente da minha mesa e colocou um formulário simples em cima dela.

Ele disse: "O secretário do Clube de Imprensa enviou isto para ser assinado", e ficou ali parado com o chapéu na mão, esperando que eu assinasse. Peguei o formulário, dei uma olhada rápida e comecei a assinar, quando me ocorreu que gostaria de saber, mais por curiosidade do que qualquer outra coisa, quem havia sugerido meu nome para ser membro do Clube de Imprensa. Perguntei ao jovem se ele sabia quem me inscreveu na disputa e ele respondeu que não, mas devia ter sido algum amigo que já pertencia ao Clube. Em seguida, ele se apressou em explicar que era uma grande honra ser eleito membro do Clube. Peguei minha caneta novamente e comecei a escrever meu nome na linha pontilhada. O formulário era impresso em papel barato e a caneta "travou" nele, fazendo-me hesitar por um momento antes de tentar escrever em outro lugar. A hesitação me deu tempo para pensar um pouco mais sobre quem havia inscrito meu nome para ser membro, então parei, deixei a caneta de lado e pedi ao jovem que telefonasse para o secretário e descobrisse quem era. Ele atendeu ao meu pedido, mas o secretário disse que não sabia quem tinha sugerido meu nome.

Aqui a suspeita apareceu pela primeira vez, por isso disse ao jovem que não assinaria nada naquele momento. Ao mesmo tempo, li o formulário novamente. Havia a cobrança de uma taxa de adesão de US$ 150. Os números pareciam dez vezes maiores do que haviam parecido um minuto antes daquela conversa telefônica. Eu estava começando a ficar em "alerta". Começava a sentir que estava prestes a "comprar" alguma coisa. Até aquele momento, a impressão era de que estava entrando em um clube muito seleto, por sugestão de um bom amigo. Francamente, minha vaidade havia superado a capacidade de fazer um bom julgamento comercial. Mas agora eu estava começando a acordar e "sentir cheiro de rato". Então o jovem falou: "Ora, provavelmente não consegue perceber como é difícil entrar no Clube de Imprensa. Ninguém pode entrar sem ser eleito. Você recebeu uma honra que não pode se dar ao luxo de rejeitar".

Essas palavras calaram fundo. Naquele momento, dissiparam-se as suspeitas e me fizeram sentir que havia sido precipitação deixar de lado a caneta-tinteiro, então estendi a mão para ela novamente, mas antes de levantá-la da mesa, vi aqueles números novamente, US$ 150. Pareciam ainda maiores, e eu empurrei o formulário de volta para o jovem e disse: "Não, preciso pensar nisso por alguns dias", e o conduzi até a porta.

No dia seguinte, contei a um de meus amigos que havia sido eleito membro do Clube de Imprensa. Minha expressão demonstrava claramente que me sentia muito orgulhoso com a homenagem. Então ele riu! Eu nunca o tinha ouvido rir tão alto em minha vida. Ele disse: "Olha aqui, se você realmente quer ser membro do Clube de Imprensa, posso conseguir uma assinatura por US$ 50. Francamente, não acredito que você queira fazer parte daquilo, mas, se quiser, posso economizar seus US$ 100". E ele continuou: "Também pode ser interessante para você saber que o Clube está fazendo um esforço para atrair associados; portanto, não precisa se sentir tão 'honrado' por ter sido eleito membro!".

Comecei a encolher! Lembro-me claramente da sensação. Nunca esquecerei. Fui descendo, descendo, descendo na escala da inteligência, até ter que olhar para cima para ver meu amigo, mesmo tendo a mesma estatura que ele.

Então entendi a piada. Levei meu amigo até o balcão de charutos e comprei para ele uma caixa dos melhores Havanas que podia pagar. "Para que isso?", ele perguntou surpreso. E eu respondi: "Para pagar pela melhor aula de vendas que já tive ou terei".

Agora você conhece a história, que contei a todos os membros de nossa turma de Publicidade e Vendas. Fere meu orgulho contar essa história, mas ela é tão importante para um estudante de psicologia aplicada que simplesmente não poderia deixar de contar.

Minha vaidade quase me custou US$ 150. A única coisa que me salvou foi o papel de baixa qualidade em que o formulário do Clube de Imprensa foi impresso. Se a caneta não tivesse "travado", eu teria caído! Esse foi um caso real de "me deixar comprar" em vez de "me vender". Eu comprava tudo sozinho. Ninguém me convidou para entrar no Clube. Eu estava praticamente pronto, não apenas para entrar e me desfazer de US$ 150, mas para agradecer a alguém por "me dar a oportunidade". Aqui estava a parte fraca do plano de vendas – eles perderam minha confiança quando não me disseram quem tinha sugerido meu nome para ser associado. O homem que criou esse plano de vendas era "quase" um mestre em vendas. Só falhou em um pequeno detalhe. Teria dado certo, se eles tivessem me falado que o Clube acompanhava o progresso dos meus negócios e havia decidido que eu seria um bom associado, mas quando eles se recusaram a me tranquilizar quanto a esse ponto, perdi a confiança e eles perderam a assinatura na linha pontilhada.

Não preciso analisar essa história para você. A psicologia por trás disso é tão clara que um estudante pode entendê-la. Use essa psicologia você mesmo. A forma como pode fazer isso depende do problema em questão. Depende do comprador e da mercadoria que você tem para vender.

Esse mesmo princípio de psicologia foi usado por Marco Antônio em seu maravilhoso discurso, que você lerá em breve. Nessa oratória, você verá como ele apelou com habilidade à vaidade da turba romana. Ele começou tentando "vender" seu ponto de vista? Não! Era um vendedor muito inteligente para isso. Estude sua oratória cuidadosamente. Extraia dela o grande pensamento. Veja como Marco Antônio, falando de forma figurada, seguiu com o riacho e não tentou ir contra ele, até chegar a um ponto vantajoso em que poderia alterar seu curso na direção que queria.

É preciso manusear mil toneladas de argila e escória para extrair um miligrama de rádio! O processo de separação é longo, tedioso e caro, mas é a única maneira de garantir o rádio. Essa é uma das razões pelas quais o rádio é tão caro.

Para chegar a uma verdade aparentemente simples, às vezes temos que lidar com grandes quantidades de evidências, separando o útil do inútil, mas isso precisa ser feito, se quisermos o "rádio". Há uma verdade simples relacionada à psicologia aplicada que é a base e o fundamento de toda venda bem-sucedida; portanto, quando você terminar de ler esta aula, se sentir que lhe conduzi por todo o processo de refino do rádio para chegar a essa grande verdade, sei que também será justo o bastante para admitir que o tempo gasto na busca valeu a pena.

Não vou dizer agora qual é essa grande verdade. Quero que você tenha o benefício de descobrir por si mesmo. Ao trazer à tona esse grande princípio, vou usar a notável oratória de Shakespeare, que ele colocou na boca de Marco Antônio, em sua resposta a Brutus sobre o cadáver de César. Nada do que eu já tenha lido retrata tão bem um dos princípios básicos da psicologia aplicada quanto essa oratória.

As mesmas leis e princípios psicológicos usados por Antônio em seu discurso sobre o corpo de César trarão tanto sucesso e ganharão o dia com a mesma eficácia agora como antes da queda de Brutus.

À medida que prossigo com o texto, intercalarei alguns comentários com o objetivo de tornar mais clara a comparação que desejo fazer.

Argumento da cena

César foi morto e Brutus acaba de terminar seu discurso para a população, expondo suas razões para a remoção de César. Essas razões foram aceitas e a turba acreditou nele. Brutus era provavelmente o homem mais admirado e amado de toda Roma naquela época. Portanto, sua declaração simples foi aceita com fé igualmente simples.

Aqui, Shakespeare apresenta os dois lados da questão, primeiro por Brutus, depois por Antônio.

Brutus, tendo apresentado sua versão e satisfeito por ter ganhado o dia, conclui seu discurso e encerra o caso. Mas ele não convenceu totalmente o público. Não vendeu bem para a turba romana. Muito confiante, cedeu a plataforma a Antônio cedo demais. No entanto, a turba estava com ele e contra qualquer um que tivesse algo de negativo a dizer sobre ele.

Antônio aparece em cena, com a multidão parcialmente antagônica e desconfiada, antecipando que ele possa estar contra Brutus. Seu primeiro passo é pacificar a plateia e colocar a mente de todos em uma condição receptiva (neutralizar suas mentes), pois, sem isso, não fará nenhum progresso. Ele também precisa evitar parecer estar "atacando" o outro lado. Esses são os fatos essenciais para convencer um público ou um indivíduo; seu público deve estar aberto ao convencimento, e você não deve "atacar".

> ANTÔNIO: "Por Brutus, eu os contemplo." (Sobe ao púlpito.)
>
> QUARTO CIDADÃO: "O que ele falou sobre Brutus?"
>
> TERCEIRO CIDADÃO: "Disse que, por Brutus, está contemplando todos nós."
>
> QUARTO CIDADÃO: "É melhor ele não falar mal de Brutus aqui."
>
> PRIMEIRO CIDADÃO: "Esse César era um tirano."
>
> TERCEIRO CIDADÃO: "Não, isso é certo; somos abençoados por Roma estar livre dele."
>
> SEGUNDO CIDADÃO: "Paz! Vamos ouvir o que Antônio pode dizer."
>
> ANTÔNIO: "Gentis romanos..."
>
> TODOS: "Silêncio! Vamos ouvi-lo."

Nesse ponto, o amador comum geralmente estraçalha o pronunciamento se pavoneando para a frente do palco, estufando o peito e, com um tom duas vezes maior que o adequado a seu corpo, gritando: "Amigos, romanos, compatriotas!".

Se Antônio tivesse se dirigido à turba dessa maneira, a história de Roma não seria o que é hoje. Com o propósito de pacificar as mentes inflamadas, ele começa:

> ANTÔNIO: "Amigos, romanos, compatriotas, ouçam-se. Venho para sepultar César, não para louvá-lo". (Conciliação.) "O mal que os homens fazem vive depois deles; o bem é frequentemente enterrado com seus ossos; então que assim seja com César. O nobre Brutus disse que César era ambicioso; se era assim, o defeito era grave, e César respondeu por isso dolorosamente. Aqui, com a licença de Brutus e dos demais, pois Brutus é um homem honrado; como são todos eles homens honrados - venho para falar no funeral de César. Ele era meu amigo, fiel e justo para mim." (O que quer que possa ter sido para vocês, foi justo para mim; portanto, eu o admirava.)
>
> "Mas Brutus diz que ele era ambicioso; e Brutus é um homem honrado. Ele trouxe muitos prisioneiros a Roma, cujos resgates encheram os cofres do general. Isso pareceu ambição em César? Quando os pobres choraram, César chorou; a ambição deveria ser feita de matéria mais dura. No entanto, Brutus diz que ele era ambicioso; e Brutus é um homem honrado. Todos vocês viram que no Lupercal eu o presenteei três vezes com uma coroa de rei, que ele recusou três vezes; era essa sua ambição? No entanto, Brutus diz que ele era ambicioso; e, com certeza, ele é um homem honrado. Não falo para contestar o que Brutus falou, mas aqui estou para falar o que sei. Todos vocês o amaram um dia, não sem motivo; que causa os impede de lamentar por ele? Oh, julgamento! Fostes para as bestas brutais, e os homens perderam sua razão. Sejam tolerantes comigo; meu coração está lá no caixão com César, e devo fazer uma pausa até que ele volte para mim." (Trabalhando com as emoções da plateia.)

Ele deu o primeiro passo na lei mental da arte de vender. Conquistou a atenção da turba. Sabe que eles não podem ser mantidos em completo silêncio, então dá a eles a oportunidade de falar, ou pensar em voz alta. Da mesma forma, um vendedor deve dar ao cliente em potencial a oportunidade de falar no início da entrevista para que ele, o vendedor, possa aprender os pontos fracos do outro.

> PRIMEIRO CIDADÃO: "Eu acho que há muita razão em suas palavras."
>
> SEGUNDO CIDADÃO: "Se você considerar corretamente o assunto, César errou muito."
>
> TERCEIRO CIDADÃO: "Ele errou, senhores? Temo que o pior ocupe seu lugar."
>
> QUARTO CIDADÃO: "Ouviram o que ele disse? Que ele não aceitou a coroa? Portanto, é certo que não era ambicioso."
>
> SEGUNDO CIDADÃO: "Pobre alma! Seus olhos estão vermelhos como fogo de tanto chorar." (Piedade.)
>
> TERCEIRO CIDADÃO: "Não há homem mais nobre em Roma do que Antônio."
>
> QUARTO CIDADÃO: "Agora, atenção, ele vai falar novamente."
>
> ANTÔNIO: "Mas ontem, a palavra de César pode ter se posto contra o mundo; agora ele está lá, e não há ninguém para reverenciá-lo. Ó, senhores", (lisonja), "se eu estivesse disposto a incitar seus corações e mentes ao motim e à raiva, faria mal a Brutus e a Cássio, que, todos vocês sabem, são homens honrados." (Perceba a sugestão nas palavras *motim* e *raiva*, a ênfase da repetição.)

Desse ponto em diante, ele diz três vezes que aqueles são homens honrados. Observe a mudança na inflexão e o efeito de cada mudança. Na primeira vez, ele faz uma declaração clara do fato; na segunda vez, há uma leve sugestão de dúvida quanto à sua honestidade, e na terceira vez, com perfeita habilidade, ele joga a palavra *honrado* com refinado sarcasmo e ironia, com o propósito de transmitir à multidão o pensamento e a ideia de que aqueles homens eram tudo, menos honrados.

> ANTÔNIO: "Não farei mal a eles; prefiro fazer mal aos mortos, prejudicar a mim e a vocês, do que prejudicar esses homens honrados."

Quando ele diz que prefere prejudicar os mortos, sabe que vai despertar piedade neles; quando prefere prejudicar a si mesmo, ele desperta admiração, e quando diz que prefere prejudicá-los, desperta antagonismo e ressentimento contra o assassinato de César. (Ele agora desperta a curiosidade da plateia.)

> ANTÔNIO: "Mas aqui está um pergaminho, com o selo de César; eu o encontrei em seu armário; esta é a sua vontade; que apenas os plebeus ouçam seu testamento, que, perdoem-me, não pretendo ler. – E eles iriam beijar as feridas do César morto e mergulhariam lenços em seu sangue sagrado, sim, implorariam por um fio de cabelo dele como recordação, e, morrendo, o mencionariam em seus testamentos, deixando-o como um rico legado."
>
> QUARTO CIDADÃO: "Vamos ouvir o testamento; leia, Marco Antônio." (A natureza humana quer aquilo que está para ser tirado dela.)

Observe com que astúcia Antônio chegou ao segundo passo na lei mental da arte de vender; como despertou completamente o interesse deles. Ele fez isso estimulando a curiosidade nos ouvintes. Claro, ele pretendia ler o testamento, mas os faria implorar para que o lesse.

> TODOS: "Testamento, testamento! Vamos ouvir o testamento de César."
>
> ANTÔNIO: "Tenham paciência, nobres amigos, não devo ler; não é justo que saibam como César os amava. Vocês não são de madeira, não são de pedras, são só homens; e, sendo homens, ouvir o testamento de César os inflamará, os deixará furiosos." (Exatamente o que ele pretende fazer.) "É bom que não saibam que são herdeiros dele, pois se soubessem, ó, o que resultaria!"

QUARTO CIDADÃO: "Leia o testamento; vamos ouvir, Antônio; você deve ler o testamento para nós, o testamento de César."

ANTÔNIO: "Você será paciente? Você vai ficar mais um pouco? Temo ter me excedido ao contar sobre isso; temo ter feito mal aos homens honrados cujas adagas esfaquearam César, é disso que tenho medo." (As palavras *adagas* e *esfaqueamento* sugerem assassinato. Veja com que rapidez eles entendem a sugestão.)

QUARTO CIDADÃO: "Eles eram traidores, homens honrados!"

TODOS: "O testamento! O testamento!"

SEGUNDO CIDADÃO: "Eles eram vilões, assassinos; o testamento!"

ANTÔNIO: "Vocês vão me obrigar a ler o testamento? Então façam um círculo em torno do cadáver de César, e deixem-me mostrar aquele que fez o testamento. Devo descer? E vocês me darão licença?"

TODOS: "Desça."

SEGUNDO CIDADÃO: "Desça."

TERCEIRO CIDADÃO: "Você tem licença."

SEGUNDO CIDADÃO: "Espaço para Antônio, o nobre Antônio."

Começando a sentir seu poder sobre o público, Antônio agora pretende se aproximar mais. Ele remove a barreira da distância entre o púlpito e o chão do Fórum, de forma a poder se tornar mais confidencial. Observe a primeira nota de autoridade, embora em tom gentil, quando ele ordena que recuem.

ANTÔNIO: "Não, não me pressionem assim, fiquem longe."

TODOS: "Afastem-se. Espaço."

ANTÔNIO: "Se têm lágrimas, preparem-se para derramá-las agora, todos vocês conhecem este manto; lembro-me da primeira vez que César o usou; foi em uma noite de verão, em sua tenda, naquele dia em que ele superou os nérvios." (Sentimento, amor e patriotismo.)

Desse ponto em diante, ele apela para a natureza emocional da multidão, para sua piedade, porque "piedade é semelhante ao amor", e ele deseja atiçar as brasas e incendiar seu amor adormecido por César.

> ANTÔNIO: "Olhem, neste lugar passou a adaga de Cássio; vejam que rasgo o invejoso Casca abriu; por meio dele, o bem-amado Brutus cravou a faca; e quando ele arrancou seu aço amaldiçoado, observem como o sangue de César o seguiu, como se quisesse correr para fora e ver se era mesmo Brutus quem o tinha atacado com tanta crueldade, ou não; pois Brutus, como vocês sabem, era o anjo de César; julgai, ó deuses, como César o amava ternamente! Este foi o ferimento mais cruel; pois quando o nobre César o viu esfaqueá-lo, a ingratidão, mais forte do que os braços dos traidores, o derrotou completamente; então explodiu seu poderoso coração; e, com seu manto cobrindo o rosto, justamente aos pés da estátua de Pompeu, enquanto o tempo todo seu sangue corria, o grande César caiu, oh, e que queda foi, meus compatriotas! E ali eu, vocês e todos nós caímos enquanto uma traição sangrenta florescia sobre nós. Oh, como vocês choram, e percebo que sentem a dor da pena; essas são gotas graciosas. Almas amáveis, por que choram, quando veem apenas a veste de nosso César ferida? Vejam aqui, aqui está ele ferido, como veem, por traidores." (Eles já aceitaram a palavra "traidor" e a aplicam livremente aos conspiradores.)
>
> PRIMEIRO CIDADÃO: "Que espetáculo comovente!"
>
> SEGUNDO CIDADÃO: "Oh, nobre César!"
>
> TERCEIRO CIDADÃO: "Oh, dia miserável!"
>
> PRIMEIRO CIDADÃO: "Oh, visão mais sangrenta!
>
> SEGUNDO CIDADÃO: "Seremos vingados."
>
> TODOS: "Vingança! Agora! Procurem! Queimem! Fogo! Matem! Destruam! Não deixem um traidor vivo!"

Ele agora deu o terceiro passo - o desejo. A turba deseja fazer o que ele desejava que fizessem. É aqui que muitos vendedores perdem a perspectiva. Confundem desejo com vontade, tentam, cedo demais, expor seu ponto de vista e espantam o cliente que ainda não foi levado ao quarto passo e, consequentemente, não está pronto para receber o vendedor de braços abertos.

Antônio, no entanto, vendedor habilidoso que era, estava determinado a levar seus ouvintes com ele; a encerrar sua argumentação de maneira irrefutável, a fim de evitar a possibilidade de o público ser novamente influenciado pela oposição e afastar-se dele. Ele guardou o argumento e apelo mais forte para o final, de modo a conquistar a audiência com certeza absoluta. Observe seu trunfo bem no final do pronunciamento:

> ANTÔNIO: "Fiquem, compatriotas."
>
> PRIMEIRO CIDADÃO: "Silêncio! Ouçam o nobre Antônio."
>
> SEGUNDO CIDADÃO: "Vamos ouvi-lo, vamos segui-lo, vamos morrer com ele."
>
> ANTÔNIO: "Bons amigos, queridos amigos, não me deixem incitá-los a tão repentina revolta." (Fortalecendo seu desejo.) "Aqueles que cometeram esse ato são honrados. Que tristezas particulares eles têm, infelizmente, não sei, para levá-los a isso; eles são sábios e honrados e vão, sem dúvida, responder a vocês com razões."

Observe como são carregadas de duplo sentido suas inflexões em certas palavras, e de que maneira infalível elas transmitem à multidão a opinião dele sobre o caráter dos conspiradores.

> ANTÔNIO: "Não vim, amigos, para roubar seus corações; não sou orador, como Brutus; mas sou, como vocês me conhecem, um homem simples e direto, que amo meu amigo; e isso, eles bem sabem, nos dá licença pública para falar sobre ele; pois não tenho inteli-

gência, nem palavras, nem valor, ação, nem expressão, nem o poder da oratória para fazer ferver o sangue dos homens, apenas falo com sinceridade; digo a vocês o que vocês mesmos sabem; mostro as feridas do doce César, pobre, pobre, bocas entorpecidas, e as convoco a falar por mim; mas se eu fosse Brutus e Brutus fosse Antônio, então um Antônio inflamaria seus espíritos e colocaria uma língua em cada ferida de César que moveria as pedras de Roma para se levantar e se amotinar."

TODOS: "Vamos à revolta."

PRIMEIRO CIDADÃO: "Vamos queimar a casa de Brutus."

TERCEIRO CIDADÃO: "Vamos, então! Venham, vamos atrás dos conspiradores."

ANTÔNIO: "Ouçam-me, compatriotas; ouçam-me falar!"

TODOS: "Silêncio! Ouçam Antônio. O muito nobre Antônio!"

ANTÔNIO: "Ora, amigos, vão fazer nem sabem o quê; a partir de quando César mereceu seu amor? Infelizmente, vocês não sabem; devo dizer, então; vocês esqueceram o testamento que mencionei."

Ele sempre pretendeu ler o testamento, mas se segurou até que estivessem ávidos por ele e tivessem a mente em um estágio em que a leitura seria mais eficaz para o cumprimento de seu propósito. Este era seu trunfo e ele o deixou para o final.

Muitos vendedores, na ânsia de apresentar os méritos de seus produtos, apresentam seu trunfo de imediato, antes que o cliente em potencial esteja pronto. Se isso não acabar com suas perspectivas logo de início, ele pode prosseguir com os pontos mais fracos e ir reduzindo a velocidade até perder a venda. Ele tenta chegar ao quarto passo sem ter abordado por completo os três primeiros, e geralmente falha.

Antônio agora faz seu apelo à cupidez e avareza de seus ouvintes – uma fraqueza comum na natureza humana.

TODOS: "É verdade, o testamento! Vamos ficar e ouvir o testamento."

ANTÔNIO: "Aqui está o testamento, e com o selo de César. Para cada cidadão romano, ele deixa, para cada homem, 75 dracmas."

SEGUNDO CIDADÃO: "Nobre César! Vamos vingar sua morte."

TERCEIRO CIDADÃO: "Ó, César real!"

ANTÔNIO: "Ouçam-me com paciência."

TODOS: "Silêncio!"

ANTÔNIO: "Além disso, ele deixa para vocês todos as suas alamedas, seus arvoredos particulares e pomares recém-plantados, deste lado do Tibre; ele os deixa para vocês, e para seus herdeiros; prazeres comuns, caminhar e se recriar, este era um César! Quando virá outro?"

PRIMEIRO CIDADÃO: "Nunca, nunca. Venham, vamos, vamos! Vamos queimar seu corpo no lugar sagrado e, com as brasas, incendiar as casas dos traidores. Peguem o corpo."

SEGUNDO CIDADÃO: "Vão buscar fogo."

TERCEIRO CIDADÃO: "Arranquem os bancos."

QUARTO CIDADÃO: "Arranquem cadeiras, janelas, qualquer coisa." (Saída dos cidadãos com o corpo.)

Ele chegou ao quarto passo. Influenciou a vontade deles de cumprir suas ordens. Ganhou o dia.

Se você planejar seu argumento de vendas seguindo as linhas em que esse discurso foi criado, seguindo-o até sua conclusão com o mesmo cuidado, observando seu desenvolvimento com atenção, agrupando argumentos em uma ordem lógica de sequência, tornando cada passo mais forte que o anterior, tirando do caminho toda oposição e não deixando para ela bases que sirvam como novos pontos de apoio, mantendo-se controlado durante toda a campanha, seu sucesso estará garantido.

LIÇÃO 10

Persuasão contra força

A guerra mundial fez mais que qualquer outro acontecimento na história do mundo para nos mostrar a futilidade da força como meio de influenciar a mente humana. Sem entrar em detalhes ou relatar os exemplos que poderiam ser citados, todos sabemos que a força foi a base sobre a qual a filosofia alemã foi construída durante os últimos quarenta anos. A doutrina que poderia dar certo foi submetida a uma prova mundial e falhou.

O corpo humano pode ser aprisionado ou controlado pela força física, mas não a mente humana. Nenhum homem na Terra pode controlar a mente de uma pessoa normal e saudável, se essa pessoa escolher exercer o direito que Deus lhe deu de controlar sua mente. A maioria das pessoas não exerce esse direito. Percorrem o mundo, graças ao nosso sistema educacional deficiente, sem terem descoberto a força que está adormecida na própria mente. De vez em quando acontece alguma coisa, mais por acidente do que qualquer outro motivo, que desperta a pessoa e a faz descobrir onde está sua verdadeira força e como usá-la no desenvolvimento da indústria ou de uma das profissões. Resultado: nasce um gênio!

Há um determinado ponto em que a mente humana para de se elevar ou explorar, a menos que algo fora da rotina diária aconteça para "remover" esse obstáculo. Em algumas mentes, esse ponto é muito baixo e, em outras, é muito alto. Em outros, ainda, varia entre baixo e alto. O indivíduo que descobrir uma maneira de estimular artificialmente sua mente, despertá-la e fazê-la ir além desse ponto comum de parada com frequência, certamente será recompensado com fama e fortuna, se seus esforços forem de natureza construtiva.

O educador que descobrir uma maneira de estimular qualquer mente e fazê-la se elevar acima de seu ponto médio de parada, sem quaisquer reações ruins, concederá uma bênção à raça humana sem igual na história do mundo. É claro que não nos referimos a estimulantes físicos ou narcóticos. Isso sempre despertará a mente por um período, mas, com o passar do tempo, a arruinará inteiramente. Referimo-nos a um estimulante puramente mental, como aquele que vem por meio de intenso interesse, desejo, entusiasmo, amor, etc.

A pessoa que fizer essa descoberta realizará uma grande contribuição para solucionar o problema do crime. Você pode fazer quase tudo com uma pessoa quando aprende como influenciar sua mente. A mente pode ser comparada a um grande campo. É um campo muito fértil, que sempre produz uma safra conforme o tipo de semente que nele é semeado. O problema, então, é aprender como selecionar o tipo certo de semente e plantá-la para que crie raízes e cresça rapidamente. Estamos semeando em nossas mentes diariamente, de hora em hora, ou melhor, a cada segundo, mas o fazemos de maneira promíscua e mais ou menos inconsciente. Devemos aprender a semear seguindo um plano cuidadosamente elaborado, de acordo com um projeto bem-feito! Semente lançada ao acaso na mente humana produz uma colheita aleatória! Não há como escapar desse resultado.

A história está repleta de casos notáveis de homens que foram transformados de cidadãos cumpridores da lei, pacíficos e construtivos em criminosos perversos. Também temos milhares de casos em que homens baixos, cruéis, do tipo criminoso foram transformados em cidadãos construtivos e cumpridores da lei. Em cada um desses casos, a transformação do ser humano ocorreu na mente do homem. Ele criou em sua própria mente, por uma razão ou outra, uma imagem do que desejava e, em seguida, agiu para transformar essa imagem em realidade. Como exemplo disso, se uma imagem de qualquer ambiente, condição ou coisa for retratada na mente humana, e se a mente estiver focada ou concentrada nessa imagem por tempo suficientemente longo e com persistência, e apoiada por um forte desejo pela coisa retratada, é apenas um pequeno passo da imagem para a realização dela na forma física ou mental. Este é um princípio que aprendemos na lição sobre autossugestão.

A guerra mundial trouxe à tona muitas tendências surpreendentes da mente humana, que corroboram o trabalho que o psicólogo realizou em suas pesquisas sobre o funcionamento da mente. O seguinte relato de um jovem montanhês rude, sem educação, ignorante e indisciplinado é um excelente exemplo:

Lutou por sua religião; agora é grande herói de guerra
Rotarianos planejam apresentar agricultura para Alva York, analfabeto caçador de esquilos do Tennessee.

– GEORGE W. DIXON

> Como Alva Cullom York, um analfabeto caçador de esquilos do Tennessee, se tornou o principal herói das Forças Expedicionárias Americanas na França, constitui um capítulo romântico na história da guerra mundial.
>
> York é natural do condado de Fentress. Ele nasceu e foi criado entre os resistentes montanheses das florestas do Tennessee. Não há nem mesmo uma ferrovia no condado de Fentress. Durante a juventude, ele tinha a reputação de ser um personagem sem esperança. Era o que se conhecia pelo nome

de pistoleiro. Tinha pontaria certeira com um revólver, e sua habilidade com o rifle era conhecida em toda parte entre as pessoas simples das colinas do Tennessee.

Um dia, uma organização religiosa armou sua tenda na comunidade em que York morava com os pais. Era uma seita estranha que ia às montanhas em busca de gente para converter, mas os métodos do evangelista do novo culto eram cheios de fogo e emoção. Eles denunciavam o pecador, o mau caráter e o homem que se aproveitava de seu semelhante. Eles apontavam a religião do Mestre como um exemplo que todos deveriam seguir.

Alva encontra a religião

Uma noite, Alva Cullom York assustou os vizinhos ao se ajoelhar diante do altar dos aflitos.

Os velhos se viravam em seus assentos e as mulheres esticavam o pescoço, enquanto York lutava com seus pecados sob as sombras das montanhas do Tennessee.

York se tornou um apóstolo fervoroso da nova religião. Ele se tornou um exortador, um líder na vida religiosa da comunidade e, embora sua pontaria fosse tão mortal quanto sempre havia sido, ninguém o temia quando seguia o caminho da retidão.

Quando a notícia da guerra chegou àquela parte remota do Tennessee e os montanheses foram informados de que seriam "recrutados", York ficou taciturno e aborrecido. Ele não concordava em matar seres humanos, nem mesmo na guerra. Sua Bíblia ensinava: "Não matarás". Para sua mente, isso era literal e definitivo. Ele foi rotulado como um "discordante de consciência".

Os oficiais de recrutamento anteciparam problemas. Sabiam que ele estava decidido e que teriam de abordá-lo de outra maneira, que não fossem ameaças de punição.

Guerra em uma causa sagrada

Eles foram a York com uma Bíblia e mostraram a ele que a guerra era por uma causa sagrada - a causa da libertação e da liberdade humana. Apontaram que homens como ele foram chamados pelos poderes superiores para tornar o mundo livre, para proteger mulheres e crianças inocentes da violação, para fazer a vida valer a pena para os pobres e oprimidos, para superar a "besta" retratada nas escrituras e libertar o mundo para o desenvolvimento dos ideais cristãos e da masculinidade e feminilidade cristãs. Era uma luta entre as hostes da justiça e as hordas de Satanás. O diabo estava tentando conquistar o mundo por meio de seus agentes escolhidos, o Kaiser e seus generais.

Os olhos de York brilharam com uma luz forte. Suas grandes mãos se fecharam como um torno. As mandíbulas fortes estalaram. "O Kaiser", ele sibilou entre os dentes, "a besta! O destruidor de mulheres e crianças! Eu vou mostrar a ele qual é o seu lugar, se chegar perto dele!".

Ele acariciou o rifle, deu um beijo de despedida na mãe e disse que a veria novamente quando o Kaiser fosse destruído.

Ele foi para o campo de treinamento e treinou com cuidado escrupuloso e estrita obediência às ordens.

Sua habilidade no tiro ao alvo chamou a atenção. Os companheiros ficaram perplexos com suas marcas. Eles não haviam calculado que um caçador de esquilos seria um ótimo franco-atirador nas trincheiras da linha de frente.

A participação de York na guerra agora é história. O general Pershing o designou principal herói individual da guerra. Ele ganhou todas as condecorações, incluindo a Medalha do Congresso, a Croix de Guerre, a Legião de Honra. Enfrentou os alemães sem medo da morte. Ele estava lutando para defender sua religião pela santidade do lar, por amor às mulheres e crianças, pela preservação dos ideais do cristianismo e a libertação dos pobres e oprimidos. O medo não estava em seu código ou em seu vocabulário. Sua ousadia fria eletrizou mais de um milhão de homens e fez o mundo falar sobre esse herói estranho e analfabeto das colinas do Tennessee.

Suas façanhas ganharam páginas de jornais e revistas. Ele capturou cem alemães e os conduziu como faria com um rebanho de ovelhas em suas montanhas nativas. Atirou em alemães como havia atirado em esquilos no condado de Fentress, e com a mesma pontaria mortal.

Algumas semanas atrás, um jornal de Nashville enviou um repórter à casa da mãe de York nas montanhas para buscar algumas notícias do herói de dois continentes. A mãe idosa cumprimentou o repórter gentilmente e respondeu que havia recebido uma carta de Alva, contando que ele estava "se dando muito bem e recebendo um bom salário". Ele era um soldado raso.

Toda essa conversa sobre Alva era estranha para ela. Qual era a utilidade de tudo isso? Supondo que ele tivesse matado muitos alemães e capturado mais. Foi por isso que o recrutaram. Ela não conseguia entender por que tinham que fazer tanto escândalo por isso.

Olhos do mundo em Alva York

Mas os olhos do mundo estão cravados no garoto das montanhas do Tennessee. Ele apresenta um estudo das qualidades que vieram à tona em grandes emergências na história americana, estabeleceram uma nação independente nas costas do mundo ocidental, conquistaram a natureza selvagem e colocaram a bandeira da liberdade em sua fortaleza mais remota.

O Rotary Club Internacional começou um movimento para comprar uma fazenda e entregá-la a York. O editor de um jornal de Nashville, que é presidente do Rotary Club daquela cidade, propôs que o jovem do Tennessee recebesse algo mais substancial do que medalhas por seu heroísmo. A escritura da fazenda seria emitida em nome do Presidente Wilson e depois transferida para York, de acordo com o plano proposto.

Fred T. Wilson, de Houston, nascido em um condado vizinho a Fentress, sente um orgulho pessoal pelas façanhas de seu antigo vizinho. Ele diz que espera estar em Nashville quando Alva tiver sua recepção de boas-vindas. Prevê que o herói será eleito para um cargo político no Tennessee, se concordar em servir.

Aqui temos o caso de um jovem montanhês que, se tivesse sido abordado de um ângulo ligeiramente diferente, sem dúvida teria resistido ao recrutamento e, provavelmente, teria ficado tão amargurado com seu país, que se tornaria um fora da lei, em busca de uma oportunidade para contra-atacar na primeira chance.

Aqueles que se aproximaram dele sabiam alguma coisa sobre os princípios pelos quais a mente humana funciona. Eles sabiam como lidar com o jovem York, vencendo primeiro a resistência que ele havia criado na própria mente. Esse é o ponto exato em que milhares de homens, por meio da compreensão inadequada desses princípios, são arbitrariamente classificados como criminosos e tratados como pessoas perigosas e cruéis. Por sugestão, essas pessoas poderiam ter sido tratadas com a mesma eficácia com que o jovem York foi tratado e se transformarem em seres humanos úteis e produtivos.

Em sua busca por maneiras e meios de compreender e manipular a própria mente para que possa persuadi-la a criar o que você quer na vida, vale lembrar que, sem nenhuma exceção, qualquer coisa que lhe irrite e lhe desperte para a raiva, o ódio, a antipatia ou o cinismo é destrutiva e muito ruim para você.

Você nunca pode tirar da mente o máximo, ou mesmo uma média razoável, de ação construtiva até que tenha aprendido a controlá-la e evitar que seja estimulada pela raiva ou pelo medo!

Esses dois aspectos negativos, raiva e medo, são positivamente destrutivos para sua mente e, enquanto você permitir que eles se mantenham, você pode ter certeza de resultados insatisfatórios e muito inferiores aos que você é capaz de produzir.

Em nosso capítulo sobre ambiente e hábito, aprendemos que a mente do indivíduo é receptiva às sugestões do ambiente e que as mentes de uma multidão se fundem em conformidade com a sugestão da influência prevalecente do líder ou figura dominadora. O Sr. J. A. Fisk nos dá um relato interessante da influência da sugestão mental na reunião de avivamento que confirma a afirmação de que as mentes de uma multidão se fundem em uma.

Sugestão mental no avivamento

A psicologia moderna estabeleceu de maneira firme que a maior parte dos fenômenos do "avivamento" religioso é de natureza física, e não espiritual, e anormalmente física. As principais autoridades reconhecem que a agitação mental que acompanha os apelos emocionais do "avivalista" deve ser classificada com os fenômenos de sugestão hipnótica, não como uma verdadeira experiência religiosa. E aqueles que fizeram um estudo aprofundado do assunto acreditam que em vez dessa agitação elevar a mente e exaltar o espírito do indivíduo, ela serve para enfraquecer e degradar a mente e prostituir o espírito, arrastando-o na lama do anormal frenesi psíquico e excesso emocional. Na verdade, alguns observadores cuidadosos familiarizados com os respectivos fenômenos classificam o encontro religioso de "avivamento" com o "entretenimento" hipnótico público como um exemplo típico de intoxicação psíquica e excesso histérico.

David Starr Jorden, presidente da Leland Stanford University, diz: "Whisky, cocaína e álcool trazem insanidade temporária, como um avivamento na religião". O professor William James, da Universidade de Harvard, o eminente psicólogo, diz: "O avivamento religioso é mais perigoso para a vida da sociedade do que a embriaguez".

Deve ser desnecessário afirmar que, neste artigo, o termo *avivamento* é usado na significação mais restrita, indicando a excitação emocional religiosa típica conhecida pelo termo em questão, e não se aplica à experiência religiosa mais antiga e respeitada designada pelo mesmo termo, que foi tão altamente reverenciada entre os puritanos, luteranos e outros no passado. Uma obra de referência padrão fala do tema geral do "avivamento", como segue:

> Os avivamentos, embora não sejam chamados por esse nome, ocorreram em intervalos desde os tempos apostólicos até a Reforma, e os avivalistas às vezes foram tratados de forma tão adversa, que deixaram a igreja e formaram seitas; enquanto em outros casos, e principalmente nos dos fundadores das ordens monásticas, eles foram mantidos e atuaram

> na igreja como um todo. O impulso espiritual que levou à Reforma, e o antagonista que produziu ou acompanhou o surgimento da Companhia de Jesus, foram ambos avivalistas. É, entretanto, ao súbito aumento da atividade espiritual dentro das igrejas protestantes que o termo avivamento é principalmente restrito. O empreendimento dos Wesleys e Whitefield neste país e na Inglaterra de 1738 em diante foi completamente avivalista. Desde então, vários avivamentos ocorreram de tempos em tempos, e quase todas as denominações buscam produzi-los. Os meios adotados são oração para o Espírito Santo, reuniões continuadas noite após noite, frequentemente até tarde, discursos emocionantes, sobretudo de leigos avivalistas, e reuniões de acompanhamento para lidar com os impressionados. Em última análise, descobriu-se que alguns dos aparentemente convertidos permaneceram firmes, outros desistiram, enquanto a indiferença proporcional à excitação anterior prevalece temporariamente. Às vezes, pessoas excitáveis em reuniões de avivamento soltam gritos agudos, ou caem prostradas. Essas manifestações mórbidas agora são desencorajadas e, consequentemente, se tornaram mais raras.

A fim de compreender o princípio da operação da sugestão mental na reunião de avivamento, devemos primeiro entender um pouco do que é conhecido como psicologia de multidão. Os psicólogos estão cientes de que a psicologia de multidão, considerada como um todo, difere materialmente daquela dos indivíduos separados que compõem essa multidão. Há uma multidão de indivíduos separados e uma multidão composta na qual as naturezas emocionais dos indivíduos parecem se fundir e se misturar. A mudança da primeira multidão para a segunda surge da influência da atenção sincera, ou dos apelos emocionais profundos, ou do interesse comum. Quando essa mudança ocorre, a multidão se torna um indivíduo composto, cujo grau de inteligência e controle emocional está apenas um pouco acima do de seu membro mais fraco. Esse fato, por mais surpreendente que possa parecer ao leitor comum, é bem conhecido e admitido pelos principais psicólogos da época; e muitos ensaios e revistas importantes foram escritos a partir daí. As características predominantes dessa "mentalidade composta" de uma multidão são as evidências de extrema sugestionabilidade, resposta a apelos de emoção, imaginação vívida e ação decorrente de imitação – todos eles traços mentais universalmente manifestados pelo homem primitivo. Em suma, a multidão manifesta atavismo, ou reversão aos primeiros traços raciais.

Gideon H. Diall, em seu *Psychology of the Aggregate Mind of an Audience* (Psicologia da mente agregada de uma audiência), sustenta que a mente de uma multidão que escuta um orador poderoso passa por um curioso processo chamado "fusão", pelo qual os indivíduos na plateia, perdendo temporariamente suas características pessoais em maior ou menor grau, são reduzidos, por assim dizer, a um único indivíduo cujas características são as de um jovem impulsivo de vinte anos, em geral imbuído de ideais elevados, mas sem poder de raciocínio e vontade. Gabriel Tarde, o psicólogo francês, apresenta pontos de vista semelhantes.

O professor Joseph Jastrow, em seu *Fact and Fable in Psychology* (Fato e fábula em psicologia), diz:

> Na produção deste estado de espírito, um fator, ainda não mencionado, desempenha um papel importante, o poder de contágio mental. O erro, como a verdade, floresce nas multidões. No coração da simpatia, cada um encontra um lar. Nenhuma forma de contágio é tão insidiosa em seu início, tão difícil de controlar em seu avanço, tão certeira em deixar germes que podem a qualquer momento revelar seu poder pernicioso,

como um contágio mental - o contágio do medo, do pânico, do fanatismo, da ilegalidade, da superstição, do erro. Em suma, devemos adicionar aos muitos fatores que contribuem para o engano a redução reconhecida da capacidade crítica, daquele que é dono de uma observação acurada, na verdade, da racionalidade, que é induzida simplesmente por se estar em uma multidão. O mágico considera fácil atuar para um grande público porque, entre outros motivos, é mais fácil despertar sua admiração e simpatia, mais fácil fazê-los esquecer de si mesmos e entrar no espírito acrítico da terra das maravilhas. Parece que, em alguns aspectos, o nível crítico de uma assembleia, como a força de uma corrente, é o de seu membro mais fraco.

O professor Gustave Le Bon, em seu *The Crowd* (A multidão), diz:

> Os sentimentos e ideias de todas as pessoas no grupo tomam uma e a mesma direção, e sua personalidade consciente desaparece. Forma-se uma mente coletiva, sem dúvida transitória, por apresentar características claramente marcadas. A reunião tornou-se o que, na falta de melhor expressão, chamarei de multidão organizada ou, se o termo for considerado preferível, de multidão psicológica. Ela forma um único ser e está sujeita à lei da unidade mental das multidões.
>
> A peculiaridade mais marcante apresentada por uma multidão psicológica é a seguinte: quaisquer que sejam os indivíduos que a compõem, sejam eles semelhantes ou diferentes em seu modo de vida, ocupação, caráter ou inteligência, o fato de terem sido transformados em uma multidão os coloca de posse de uma espécie de mente coletiva que os faz sentir, pensar e agir de uma maneira bem diferente daquela que cada um deles sentiria, pensaria e agiria, se estivesse em estado de

isolamento. Existem certas ideias e sentimentos que não surgem, ou não se transformam em atos, exceto no caso de indivíduos reunidos. Nas multidões, é a estupidez, e não a sabedoria que se acumula. Na mente coletiva, as aptidões intelectuais dos indivíduos e, em consequência, sua individualidade, são enfraquecidas.

As observações mais cuidadosas parecem provar que um indivíduo imerso por algum tempo em uma multidão em ação logo se encontra em um estado especial que mais se assemelha ao estado de fascinação em que o indivíduo hipnotizado se encontra. A personalidade consciente desaparece inteiramente; vontade e discernimento se perdem. Todos os sentimentos e pensamentos vão na direção determinada pelo hipnotizador. Sob a influência de uma sugestão, ele realiza certos atos com impetuosidade irresistível. Essa impetuosidade é tanto mais irresistível no caso das multidões, porque a sugestão, sendo a mesma para todos os indivíduos da multidão, ganha força pela reciprocidade. Além disso, pelo simples fato de fazer parte de uma multidão organizada, o homem desce vários degraus na escada da civilização. Isolado, ele pode ser um indivíduo culto; no meio da multidão, ele é um bárbaro - ou seja, uma criatura que age por instinto. Possui a espontaneidade, a violência, a ferocidade e também o entusiasmo e o heroísmo dos seres primitivos, aos quais ainda tende a se assemelhar pela facilidade com que se deixa induzir a compromissos contrários aos seus interesses mais óbvios e aos seus hábitos mais conhecidos. Um indivíduo na multidão é um grão de areia, e está entre outros grãos de areia que o vento agita à vontade.

O professor Frederick Morgan Davenport, em seu *Primitive Traits in Religious Revivals* (Traços primitivos em avivamentos religiosos), diz:

> A mente da multidão é estranhamente parecida com a de um homem primitivo. A maioria das pessoas nela pode estar longe de ser primitiva em emoção, pensamento, caráter; no entanto, o resultado tende a ser sempre o mesmo. A estimulação gera ação imediatamente. A razão é suspensa. O orador frio e racional tem poucas chances diante do orador emocional hábil. A multidão pensa em imagens, e a fala deve assumir essa forma para ser acessível a ela. As imagens não estão conectadas por nenhum vínculo natural, e elas se sucedem como os slides de um projetor. Resulta disso, é claro, que os apelos à imaginação têm influência suprema.
>
> A multidão é unida e governada pela emoção, não pela razão. A emoção é o vínculo natural, pois os homens diferem muito menos nesse aspecto do que no intelecto. Também é verdade que, em uma multidão de mil homens, a quantidade de emoção realmente gerada e existente é muito maior do que a porção que poderia ser obtida pela soma das emoções dos indivíduos isolados. A explicação disso é que a atenção da multidão é sempre dirigida pelas circunstâncias da ocasião ou pelo orador para certas ideias comuns - como "salvação" em reuniões religiosas; e cada indivíduo na reunião é movido pela emoção, não apenas porque a ideia ou o jargão o agita, mas também porque ele está consciente de que todos os outros indivíduos na reunião acreditam na ideia ou no jargão, e também é movido por ele. E isso aumenta enormemente o volume de sua própria emoção e, consequentemente, o volume total de emoção na multidão. Como no caso da mente primitiva, a

imaginação destrancou as comportas da emoção, que às vezes pode se tornar um entusiasmo selvagem ou frenesi demoníaco.

O estudante da sugestão verá que não apenas os membros emocionais de uma reunião de avivamento estão sujeitos ao efeito da "mentalidade composta" decorrente da "psicologia da multidão" e têm, portanto, enfraquecida sua capacidade de resistência, mas que eles também são colocados sob a influência de duas outras formas muito potentes de sugestão mental. Somada à poderosa sugestão da autoridade exercida pelo avivalista, que é exercida em sua plenitude ao longo de linhas muito semelhantes às do hipnotizador profissional, existe a sugestão de imitação exercida sobre cada indivíduo pela força combinada do equilíbrio da multidão.

Como Émile Durkheim observou em suas investigações psicológicas, o indivíduo comum é "intimidado pela massa" da multidão ao seu redor, ou diante dele, e experimenta aquela influência psicológica peculiar exercida pelo mero número de pessoas contra um indivíduo. Não só a pessoa sugestionável acha fácil responder às sugestões autoritárias do pregador e às exortações de seus ajudantes, mas também é colocada sob o fogo direto das sugestões imitativas de todos que estão experimentando atividades emocionais e as manifestam externamente. Não só a voz do pastor impele, mas o tilintar do sino do mensageiro também é ouvido e a tendência imitativa do rebanho, que faz com que uma ovelha pule porque outra antes dela pulou (e assim por diante até a última ovelha pular), precisa apenas da força do exemplo de um líder para pôr em movimento todo o rebanho. Isso não é um exagero – os seres humanos, em tempos de pânico, medo ou emoção profunda de qualquer tipo, manifestam a tendência imitativa das ovelhas e a tendência do gado e dos cavalos de "debandar" em imitação.

Para o aluno experiente no trabalho experimental do laboratório psicológico, existe a analogia mais próxima observada nos respectivos fenômenos de avivamento e sugestão hipnótica. Em ambos os casos, a atenção e o interesse são atraídos pelo procedimento incomum; o elemento de mistério e admiração é induzido por palavras e ações calculadas para inspirá-los; os sentidos são cansados por conversas monótonas em tom impressionante e autoritário; e, finalmente, as sugestões são projetadas de uma forma sugestiva e autoritária, familiar a todos os estudantes de sugestão hipnótica. Os sujeitos, em ambos os casos, são preparados para as sugestões e os comandos finais, por meio de sugestões secundárias previamente dadas, como "levante-se" ou "olhe para cá", etc., no caso do hipnotizador, e por "Todos aqueles que pensam de tal jeito, levantem-se" e "Todos aqueles que desejam se tornar melhores, levantem-se", etc., no caso do avivalista. Os sujeitos impressionáveis são, portanto, acostumados a obedecer à sugestão em etapas fáceis. E, finalmente, a sugestão de comando, "Venha, levante-se, por aqui, levante-se, venha, eu digo, venha, venha, VENHA!", etc., que põe os impressionados em pé e os leva até a frente, são quase exatamente os mesmos no experimento hipnótico ou sessão, de um lado, e no avivamento sensacional, do outro. Todo bom avivalista daria um bom hipnotizador, e todo bom hipnotizador daria um bom avivalista, se direcionasse a mente para isso.

No avivamento, quem dá as sugestões tem a vantagem de quebrar a resistência do público, despertando seus sentimentos e suas emoções. Relatos que descrevem a influência da mãe, do lar e do céu; canções dizendo, "Sim, mãe, estarei lá"; e os apelos pessoais às associações reverenciadas do passado e da infância tendem a reduzir a pessoa ao estado de resposta emocional e torná-la mais suscetível a sugestões fortes e repetidas nessa mesma linha. Jovens e mulheres histéricas são especialmente suscetíveis a essa forma de sugestão emocional. Seus sentimentos são agitados, e a vontade é influenciada pela pregação, pelas canções e pelos apelos pessoais dos auxiliares do avivalista.

As memórias sentimentais mais sagradas são despertadas no momento, e velhas condições mentais são induzidas novamente. "Onde está meu menino errante esta noite?" provoca lágrimas em muitas pessoas para quem a memória da mãe é sagrada, e a pregação de que a mãe reside em um estado de felicidade além dos céus, do qual a criança não convertida é excluída a menos que professe fé, serve para mover muitos à ação. O elemento do medo também é invocado no avivamento - não tanto como antes, é verdade, mas ainda em uma extensão considerável e mais sutil. O medo de uma morte súbita em uma condição não convertida é sustentado para o público, e "Por que não agora - por que não esta noite?" é o que se pergunta a ele ao som do hino, "Oh, Why Do You Wait, Dear Brother?" (Oh, por que espera, irmão?) Como Davenport diz:

> Sabe-se bem que o emprego de imagens simbólicas aumenta imensamente a emoção do público. O vocabulário de avivamentos abunda nelas - a cruz, a coroa, o círculo de anjos, inferno, céu. Ora, a imaginação vívida e os fortes sentimentos e crenças são estados mentais favoráveis à sugestão e também à ação impulsiva. Também é verdade que a influência de uma multidão, em grande parte simpática às ideias sugeridas, é totalmente coercitiva ou intimidadora para o pecador individual. Há uma considerável conversão professada que resulta no início de pouco mais que essa forma de pressão social, e que pode nunca se desenvolver além dela. Finalmente, a inibição de todas as ideias estranhas ao tema é incentivada nas reuniões de avivamento tanto pela oração quanto pela palavra. Existe, portanto, extrema sensibilidade à sugestão. Quando a essas condições de consciência negativa por parte de um público é adicionado um condutor das reuniões que tem um alto

> potencial hipnótico, como John Wesley ou Charles Grandison Finney, ou que é apenas uma personalidade totalmente persuasiva e magnética, tal como George Whitefield, pode haver facilmente sobre certos indivíduos da multidão uma influência que se aproxima do anormal ou completamente hipnótico. Quando esse ponto não é alcançado, ainda há uma grande quantidade de sugestionabilidade altamente perspicaz, embora normal, a ser considerada.

As pessoas que mostram sinais de estarem influenciadas são então "trabalhadas" pelo avivalista ou seus colaboradores. Elas são instadas a render sua vontade e "deixar tudo para o Senhor". São instruídas a "Entregar-se a Deus, agora, agora, neste minuto" ou "Apenas acredite agora, e você será salvo", ou "Você não vai se entregar a Jesus?", etc. Elas são exortadas e acompanhadas nas orações; braços envolvem seus ombros, e toda arte de sugestão emocional e persuasiva é usada para fazer o pecador "desistir".

Edwin Diller Starbuck em seu *The Psychology of Religion* (A psicologia da religião) relata vários exemplos de experiências de pessoas convertidas em avivamentos. Uma pessoa escreveu o seguinte:

> Minha vontade parecia totalmente à mercê de outros, em particular do avivalista. Não havia absolutamente nenhum elemento intelectual. Era um sentimento puro. Seguiu-se um período de êxtase. Eu estava decidido a fazer o bem e era eloquente ao apelar para os outros. O estado de exaltação moral não se manteve. Foi seguido por uma recaída completa da religião ortodoxa.

Davenport tem o seguinte a dizer em resposta à afirmação de que os velhos métodos para influenciar os convertidos em um avivamento desapareceram com a teologia crua do passado:

> Coloco uma ênfase particular nesse assunto aqui porque, embora o emprego do medo irracional em avivamentos tenha praticamente desaparecido, o emprego do método hipnótico ainda não acabou. Em vez disso, tem havido um recrudescimento e um fortalecimento consciente disso, porque o velho suporte do terror se foi. E nunca é demais ressaltar com vigor que essa força não é uma força "espiritual" em nenhum sentido, mas é bastante misteriosa, psíquica e obscura. E o método em si precisa ser muito refinado antes que possa trazer qualquer benefício espiritual. É totalmente primitivo e pertence ao meio animal e instintivo da fascinação. Nessa forma nua e crua, o felino a emprega no pássaro indefeso e o curandeiro indiano no devoto da dança dos espíritos. Quando usado, como tem sido frequentemente, em crianças que são por natureza muito sugestionáveis, não tem qualquer justificativa e é mental e moralmente prejudicial no mais alto grau. Não vejo como violentos estertores emocionais e o uso da sugestão em suas formas rudes podem ser úteis, mesmo nos casos de pecadores endurecidos, e certamente com grandes classes da população o emprego desse meio nada mais é do que negligência psicológica. O cuidado inteligente protege contra o charlatanismo na obstetrícia fisiológica. Seria bom se um treinamento e regulamentação mais severos restringissem o obstetra espiritual, cuja função é guiar o processo muito mais delicado do novo nascimento.

Alguns que aprovam os métodos de avivamento, mas que também reconhecem que a sugestão mental desempenha um papel muito importante nesses fenômenos, defendem que objeções semelhantes àquelas apresentadas neste artigo não são válidas contra os métodos de avivamento, visto que, assim como a sugestão mental, como se sabe, podem ser usados para bons ou maus propósitos - tanto para o benefício e a elevação das pessoas quanto na direção oposta. Dito isso, essas boas pessoas argumentam que a sugestão mental no avivamento é um método legítimo ou "arma de ataque à fortaleza do diabo". Mas esse argumento é considerado falho quando examinado em seus efeitos e consequências. Em primeiro lugar, parece identificar os estados mentais emocionais, neuróticos e histéricos induzidos por métodos de avivamento com a elevação espiritual e regeneração moral que acompanham a verdadeira experiência religiosa. Eles procuram colocar a falsificação no mesmo nível do autêntico - o brilho maligno dos raios da lua psíquica com os raios revigorantes e animadores do sol espiritual. Busca elevar a fase hipnótica à da "mentalidade espiritual" do homem. Para aqueles que estão familiarizados com as duas classes de fenômenos, há entre eles uma diferença tão ampla quanto a que existe entre os polos.

Como um instrumento para mostrar como sopra o vento do melhor pensamento religioso moderno, apresentamos o seguinte, do volume recente intitulado *Religion and Miracle* (Religião e milagre), do Rev. Dr. George A. Gordon, pastor da New Old South Church de Boston:

> Para este fim o revivalismo profissional, o que suas organizações, sua equipe que cria relatórios que fazem os números atender às esperanças de bons homens, o sistema de anúncios, e a exclusão ou supressão de todo comentário crítico fundamentado, os apelos à emoção e o uso de meios que não têm conexão visível com a graça e não podem, de forma alguma, levar à glória, é totalmente inadequado. O mundo espera pela visão,

> paixão, simplicidade e severa veracidade do profeta hebreu; espera a amplitude imperial e a energia moral do apóstolo cristão para as nações; espera o professor que, como Cristo, deve carregar sua doutrina em uma grande mente e um grande caráter.

Embora tenha havido, sem dúvida, muitos casos de pessoas originalmente atraídas pela excitação emocional do avivamento, e que depois levaram vidas religiosas dignas de acordo com a natureza espiritual superior, ainda em muitos casos o avivamento exerceu apenas um efeito temporário sobre as pessoas que cederam à excitação e, depois disso, resultou na criação de indiferença e até aversão pelo verdadeiro sentimento religioso. A reação geralmente é igual à ação original. As consequências da "apostasia" são bem conhecidas em todas as igrejas, após o avivamento vigoroso. Em outros casos, é meramente despertada uma suscetibilidade à excitação emocional, que faz com que o indivíduo passe por estágios repetidos de "conversão" em cada avivamento, e um subsequente "retrocesso" após a retirada da influência da reunião.

Além disso, é um fato conhecido pelos psicólogos que as pessoas que deram lugar à excitação emocional e aos excessos do avivamento típico tornam-se depois muito mais sugestionáveis e abertas que antes a "ismos", modismos e religiões falsas. As pessoas que se aglomeram para apoiar os vários aventureiros pseudorreligiosos e impostores da época são em geral as mesmas pessoas que foram anteriormente os convertidos mais ardentes e excitáveis do avivamento. As fileiras dos "Messias", "Elias", e "Profetas do Amanhecer"', que apareceram em grande número neste país e na Inglaterra durante os últimos cinquenta anos, foram recrutadas quase exclusivamente entre aqueles que já "experimentaram" o fervor do avivamento nas igrejas ortodoxas. É a velha história do treinamento do sujeito hipnótico. Essa forma de intoxicação emocional é especialmente prejudicial entre jovens e mulheres.

É preciso lembrar que o período da adolescência é aquele em que a natureza mental do indivíduo está passando por grandes mudanças. É um período conhecido pelo desenvolvimento peculiar da natureza emocional, da natureza sexual e da natureza religiosa. As condições existentes nesse período tornam a devassidão psíquica do avivamento, da sessão, ou da exibição hipnótica particularmente prejudicial. Excitação emocional excessiva, juntamente com mistério, medo e admiração, nesse período da vida, muitas vezes resulta em condições mórbidas e anormais que surgem posteriormente. Como bem diz Davenport: "Não é hora para o choque do medo ou a agonia do remorso. O único resultado desse zelo religioso equivocado é provavelmente o fortalecimento, em muitos casos, dessas tendências, sobretudo em mulheres, em direção à morbidez e histeria, à escuridão e à dúvida".

Existem outros fatos relacionados com a estreita relação existente entre a excitação religiosa anormal e o despertar indevido da natureza sexual, que são bem conhecidos de todos os estudiosos do assunto, mas dos quais não podemos falar aqui. Como uma dica, no entanto, o seguinte trecho de Davenport servirá ao seu propósito:

> Na idade da puberdade, há um processo orgânico em ação que põe em atividade quase ao mesmo tempo o sexual e o espiritual. Não há nenhuma prova, no entanto, da relação de causa entre o último e o primeiro. Mas parece ser verdade que os dois estão intimamente associados no ponto do processo físico em que se ramificam em direções diferentes, que nesse período crítico, qualquer excitação radical de um tem sua influência sobre o outro. Uma consideração cuidadosa dessa importante declaração servirá para explicar muitas coisas que deixaram várias pessoas perplexas no passado, em relação ao entusiasmo do avivamento em uma cidade, reuniões campais, etc. Essa aparente influência do diabo, que tanto preocupou

> nossos antepassados, é vista apenas como a ação de leis psicológicas e fisiológicas naturais. Entender é ter o remédio à mão.

Mas o que as autoridades dizem sobre o avivamento do futuro - o novo avivamento - o verdadeiro avivamento? Deixe o Professor Davenport falar pelos críticos - ele está bem capacitado para a tarefa. Ele diz:

> Haverá, acredito, muito menos uso da reunião de avivamento como um instrumento coercitivo grosseiro para anular a vontade e oprimir a razão do homem individual. A influência das reuniões religiosas públicas será mais indireta, mais discreta. Será reconhecido que a hipnose e as escolhas forçadas enfraquecem a alma, e não haverá nenhuma tentativa de pressionar para forçar uma decisão em um assunto tão importante sob o encanto da excitação, do contágio e da sugestão. Os convertidos podem ser poucos. Eles podem ser muitos. Eles serão medidos não pela capacidade do pregador para o hipnotismo administrativo, mas sim pela capacidade de amizade altruísta de cada homem e mulher cristãos. Mas acho que podemos estar confiantes sobre isso - os dias de efervescência religiosa e passional desenfreado estão morrendo. Os dias da piedade inteligente, não demonstrativa e abnegada estão amanhecendo. Fazer com justiça, amar a misericórdia, andar humildemente com Deus - esses continuam sendo os testes cardeais do divino no homem.
>
> A experiência religiosa é uma evolução. Passamos do rudimentar e primitivo ao racional e espiritual. E, Paulo acredita, o fruto maduro do espírito não é o impulso subliminar, o lapso da inibição, mas o amor racional, alegria, paz, resignação, gentileza, bondade, fidelidade, mansidão – autocontrole.

LIÇÃO 11

A lei da compensação

O propósito desta obra é ajudar homens e mulheres a tecer os fios "esgarçados" de suas experiências, dificuldades, fracassos e lutas em uma rica vestimenta de verdade e compreensão de que vai cobrir seus esforços, finalmente, com sucesso e felicidade, para ajudar as pessoas a tirarem cartas vencedoras do descarte de fracassos e experiências da vida.

A morte de um querido amigo, cônjuge, irmão, amante, que parecia nada mais que privação, um pouco mais tarde assume o aspecto de um guia ou gênio, pois comumente opera revoluções em nosso modo de vida, conclui uma época de infância ou de juventude que esperava para ser encerrada, desfaz uma ocupação habitual ou um agregado familiar, ou estilo de vida, e permite a formação de outros mais propícios ao crescimento do caráter!

– EMERSON

A lei da compensação não faz distinção entre as pessoas. Opera a favor ou contra os ricos e os pobres. É tão imutável quanto a lei da gravidade. Se assim não fosse, este planeta que chamamos de Terra não continuaria avançando no imensurável tempo e espaço, mantendo-se sempre em seu verdadeiro curso. É a força equalizadora que equilibra as "balanças eternas" e mantém os planetas em seus lugares.

A lei da compensação não permite brechas ou espaços vazios em qualquer lugar do universo. O que é tirado de um lugar é substituído por outra coisa.

Leia o ensaio de Emerson sobre compensação. Ele estabelecerá a base em sua mente para o desenvolvimento daquela tão procurada qualidade chamada "equilíbrio" ou "senso de proporções", que distingue o homem ou a mulher que alcançam grandes alturas nos negócios, na indústria, ou nas profissões.

A lei da compensação nunca é pressionada pelo tempo, muitas vezes adia suas penalidades e recompensas por longos períodos. O que é exigido de alguém, geralmente como um castigo, é dado à próxima geração como recompensa. Aquilo que é tirado do indivíduo é devolvido à descendência ou à raça como um todo. A lei da compensação não trapaceia, nem tolera trapaça. Ela paga suas contas até o último centavo e a cada ato e pensamento, cobrando suas dívidas e entregando suas recompensas com uma precisão invariável.

Crime e punição nascem do mesmo tronco.

Amor, beleza, alegria e adoração estão sempre construindo, desconstruindo e reconstruindo na alma de cada homem.

A guerra mundial foi um tremendo choque para a humanidade e uma tremenda perda para o mundo, mas já podemos começar a ver as vantagens compensatórias que surgiram dela.

Por exemplo, aprendemos a loucura de tentar "impor" um governo de cima para baixo, sem o consentimento dos governados, por meio dos chamados guerreiros "divinos". Fomos lembrados das famosas palavras de Lincoln sobre um "governo do povo, pelo povo, para o povo", e sabemos que sua ideia era sensata.

Aprendemos, também, a loucura da intolerância religiosa e racial; que todas as pessoas, de qualquer crença religiosa ou raça, podem lutar por uma causa comum. Aprendemos isso porque vimos católicos e protestantes, judeus e gentios, lutando lado a lado nas trincheiras, nunca parando para questionar uns aos outros sobre raça ou credo. De alguma forma, não podemos deixar de acreditar que esse mesmo espírito de tolerância vai prevalecer entre essas pessoas em suas relações cotidianas, porque elas aprenderam durante a guerra não só que isso era possível, mas que realmente era a coisa certa para todos.

Como outro exemplo, recomendamos aprender, com o fim da guerra mundial, que uma parte do propósito da vida é ser decente com os outros aqui na Terra, colhendo assim uma parte de nossa recompensa pela virtude agora, em vez de esperar para recebê-la na outra vida, em um mundo que não conhecemos. Desse sentimento surge uma tolerância como o mundo nunca conheceu antes.

Que pensamento melhor poderia ocorrer à raça humana? Que filosofia mais sólida do que a crença de que uma parte da recompensa pela virtude pode ser colhida aqui e agora, reconhecendo a lei da compensação e governando a si mesmo de acordo com ela?

A lei da compensação recompensa e pune! A punição, assim como a recompensa, assume todas as formas possíveis. Às vezes parece autoimposta, enquanto outras vezes parece vir de causas além do controle do indivíduo, mas virá, de uma forma ou de outra. Existe um meio de abordagem do qual nenhum ser humano pode escapar, já que opera por meio da consciência. A punição é frequentemente aplicada a um homem por sua consciência (ou imaginação) quando não vem de nenhum outro lugar. Como evidência disso, evidência que pode ser multiplicada por um milhão de casos semelhantes, leia o seguinte relato de um funcionário de banco que roubou algum dinheiro e fugiu, com a "lei" - a implacável lei da compensação - em seu encalço por dezoito anos, e observe o funcionamento dessa lei enquanto lê.

Depois de dezoito anos, ele estava novamente nos Estados Unidos. Estava ficando velho. Sua força vital diminuía; a coragem que o havia conduzido em suas provações e aventuras tomava um novo rumo. Isso o levou de volta ao local do roubo. Ele não podia ir a outro lugar, só havia uma direção. Seu barco voltava para casa.

Certa manhã, o andarilho encontrou o xerife de sua cidade natal e disse simplesmente: "Eu sou Bill Jones".

"Muito prazer, Sr. Jones", disse o policial, sem tirar os pés da mesa.

O homem espantado ficou sem fala.

"O que posso fazer por você?", perguntou o xerife, sorrindo com ironia.

"Você não entende", disse Jones. "Eu sou o homem que você procura há muito tempo."

"Eu não, meu amigo", disse o oficial, sentindo que falava com um maluco.

"Não, talvez não. Já faz muito tempo", ponderou o homem esfregando os olhos. "Sou o sujeito que roubou os três mil dólares do Merchants Loan Bank."

"Bem, e daí?", reagiu o xerife. "Esse banco não existe há dez anos."

O visitante cambaleou e perguntou se ele poderia se sentar. Ele pensou muito enquanto o oficial o observava inquieto. Parecia estar lutando com algum problema desesperador, tentando sondar algum mistério profundo e terrível.

Punição autoimposta

"Você mantém um arquivo dos homens procurados?", ele perguntou ao xerife.

"'Sim."

"Será que você me faria um favor?"

"Claro."

"Pode procurar os arquivos de julho, dezoito anos atrás, e ver se um homem chamado Bill Jones era procurado por roubar o Merchants Loan?"

O xerife examinou seus livros. Não havia nenhum registro desse caso. Uma pequena investigação revelou que o banco nunca havia deixado vazar a notícia sobre o desfalque. Os responsáveis preferiram arcar com o prejuízo a arriscar uma corrida dos correntistas. Bill Jones fugiu pelo mundo, caçado por um fantasma durante dezoito anos, quando poderia ter vivido em segurança no condado vizinho sem nunca ter sido procurado ou preso.

"Eu me castiguei todos esses anos", murmurou o homem idoso com amargura. "Sofri todas as torturas que um homem pode enfrentar... por nada."

"Eu me puni todos esses anos!"

Ah, aí está o pensamento sobre o qual você deve pensar, para seu próprio bem! "Eu me puni."

> *Apenas a verdade pode prevalecer permanentemente. Todo o resto deve passar.*

Em cada coração humano reside o poder de dar à pessoa, a partir de dentro, alegria ou tristeza, de acordo com a extensão do esforço feito para se conformar com a lei de compensação ou ir contra ela.

Nunca houve qualquer lei feita pelo homem e registrada nos estatutos, e nunca haverá qualquer lei neles que não possa ser desrespeitada, de vez em quando, sem consequências, por homens astutos e ardilosos, mas ainda não apareceu nenhum homem inteligente o suficiente para frustrar o funcionamento da lei de compensação. Essa lei é à prova de homem. Quanto mais o homem mexe com ela, menos chances tem de escapar de suas consequências, a menos que a estude seriamente com o objetivo de se conformar aos seus princípios!

Ao voltar às páginas da história, aprendemos que a maioria dos grandes homens do passado - aqueles cujos nomes viveram além da morte - foram homens que sofreram muito, que se sacrificaram, que enfrentaram o fracasso e a derrota, mas continuaram sorrindo até o fim dessa existência física sem amargura no coração.

As páginas da história estão repletas de homens assim, desde Sócrates e o homem da Galileia até o presente, mas um caso que chama a nossa atenção agora mesmo, pelo fato de o principal personagem ainda viver, é o de Knut Hamsun, cuja história é resumida na seguinte publicação de imprensa:

Um mendigo ganha o prêmio Nobel de literatura

O Prêmio Nobel de literatura, de quase cinquenta mil dólares, foi concedido a Knut Hamsun, de quem provavelmente nenhum em cem americanos já ouviu falar.

Mas Hamsun foi durante anos condutor de bonde em Chicago e estivador na cidade de Nova York. Ele foi lavador de pratos em um restaurante, carvoeiro em um navio a vapor, pintor de paredes, escritor de ensaios científicos, porteiro de hotel, marujo e muitas outras coisas.

Como O. Henry, ele foi durante anos uma pessoa desamparada, sem amigos e sem teto, vagando pela face da Terra, muitas vezes sem dinheiro ou comida, dormindo em bancos de parque.

Agora ele recebe o mais brilhante prêmio individual oferecido em qualquer lugar do mundo ao gênio literário, concedido por um comitê de especialistas.

Hamsun foi demitido do emprego de condutor de bonde porque "nunca conseguia lembrar o nome das ruas". O superintendente de Chicago disse que ele parecia ser estúpido demais até para conduzir um bonde de Halsted. Então ele foi para Nova York, trabalhou nas docas por vários meses, depois embarcou como marinheiro em um barco de pesca para Newfoundland. Onde quer que fosse, ele estava sempre rabiscando no papel.

Finalmente, ele publicou seu Pan, um romance lírico de poder épico. O volume foi traduzido para dezessete idiomas, dos quais o inglês foi um dos últimos.

Seus dois romances mais notáveis são Shallow Soil (Solo raso) e Fome. O último não tem enredo, nem começo, nem fim. Nem é fornecido o nome ou a idade do herói. Ele descreve o que acontece a um homem que não consegue trabalho em uma grande cidade, seja como escritor ou operário, e é forçado a passar fome depois de penhorar a maior parte de suas roupas. O romance deixa o homem exatamente onde o encontrou - sem amigos, sem teto, sem nome. Ninguém que ler este livro o esquecerá jamais.

É a história do próprio Knut Hamsun.

Agora, aos sessenta anos, ele tem fama mundial, um prêmio de cinquenta mil dólares e uma bela propriedade rural na Noruega, e seus portões serão, daí em diante, assediados por editores.

Como diz Mark Twain, a única diferença entre verdade e ficção é que a ficção deve se limitar ao que parece possível. A verdade não.

Na verdade, repetimos, do sofrimento e do fracasso vem a força! Isso parece uma filosofia doentia, enquanto estamos passando por "dificuldades e fracasso", mas todos os que sobrevivem a essas experiências purificadoras sabem que não é bem assim.

Homens e mulheres estão começando a aprender que não precisam esperar por um mundo que não conhecem, além da sombra chamada morte, para encontrar a felicidade.

O que é meu acabará por vir a mim, e vou reconhecê-lo quando chegar, se tiver sempre em mente que a lei da compensação está eternamente em ação, porque, se eu agir assim, saberei que o que é "meu" vai se harmonizar e corresponder à minha conduta na vida para com meus semelhantes.

Dez anos de observação me ensinaram muito sobre o funcionamento dessa lei de compensação. Eu a vi colocar os homens no cume mais alto, o lugar que o mundo chama de "sucesso", e a vi derrubá-los e empurrá-los de volta para baixo, onde começaram.

Doze anos atrás, conheci um banqueiro em Washington, D.C. Esse homem começou como dentista, e a fortuna parecia sorrir para ele. Ele começou a emprestar dinheiro, pequenas quantias a juros exorbitantes, como uma atividade secundária. Ele teve tanto sucesso nisso, que finalmente fundou um banco e foi eleito seu presidente. Isso deu a ele maior prestígio e mais poder financeiro; então ele começou a expandir suas atividades e comprar imóveis, cobrando um preço alto por cada transação. O povo começou a reclamar de suas taxas de juros usurárias e seus métodos duros de negociação, mas, aparentemente, ele continuou reunindo poder e prosperando.

Eu era cliente do banco desse homem. Quando precisei de dinheiro, ele me emprestou, mas suas taxas de juros foram sempre moderadas e de acordo com as taxas cobradas em outros bancos. Muitas vezes me perguntei por que ele era tão justo e liberal comigo, enquanto era tão injusto e exigente com os outros. Eu possuía uma próspera escola de engenharia mecânica.

Eu aprendi, aos poucos, por que esse banqueiro era tão liberal comigo. Ele queria aquela escola, e finalmente conseguiu. Quando me emprestou dinheiro até saber que eu não teria saída, em caso de emergência, ele me encurralou.

Essa transação foi um golpe para mim; no entanto, à luz da experiência dos anos subsequentes, sei que foi uma bênção disfarçada, provavelmente uma das maiores que já recebi, porque me forçou a desistir de um negócio que não desempenhava nenhum papel na construção de uma fibra moral forte, nem criava a base para a prestação de um serviço mundial aos meus semelhantes, como presto hoje.

Não pude provar que esse fracasso temporário era uma parte deliberada de um grande plano para direcionar meus esforços para canais mais construtivos, mas se algum poder estivesse pondo em prática esse plano, não poderia ter alcançado mais sucesso do que obteve. Aquilo que me foi tirado dez anos atrás foi mais que reembolsado nos últimos três ou quatro anos. A lei da compensação acertou as contas comigo, e a recompensa ainda parece estar chegando.

Mas havia outra razão para eu falar desse banqueiro. Há dois anos, voltei a Washington para uma breve visita. É natural que uma pessoa queira voltar àqueles antigos redutos onde, no passado, experimentou uma grande alegria ou uma grande tristeza. Quando cheguei a Washington, desci a rua Catorze, pensando em dar uma olhada no banqueiro e supondo, é claro, que veria alguns andares a mais no prédio do banco e encontraria uma instituição forte e próspera, como a tinha conhecido dez anos atrás.

Quando cheguei ao prédio do banco, descobri que ele não funcionava mais lá, havia fechado as portas, e a esplêndida casa bancária tinha sido transformada em um refeitório!

Desci a rua Catorze até a mansão de US$ 75.000 que pertencia a esse banqueiro dez anos atrás, mas agora era ocupada por novos moradores e não pertencia mais a ele.

A investigação provou que esse ex-banqueiro de sucesso fora reduzido quase da noite para o dia às fileiras das quais havia ascendido, por razões que não pareciam muito claras para ninguém!

Ele estava falido e fora de combate!

A mão silenciosa e pesada desceu sobre sua cabeça, e ele caiu, apesar de todos os recursos ao seu dispor. Por trás daquela mão pesada havia uma força que era aumentada por cada cliente descontente com quem esse homem tinha entrado em contato em seu banco, cada viúva que sentira a "mão dele" na execução de uma hipoteca, cada proprietário que havia sido "pressionado", em preparação à compra de sua propriedade por esse banco.

Emerson disse bem:

> Todo excesso causa um defeito, todo defeito um excesso. Todo doce tem seu azedo, todo mal seu bom. Cada faculdade que recebe prazer tem uma penalidade aplicada por seu abuso. Para cada grão de inteligência, existe um grão de loucura. Por tudo o que você perdeu, você ganhou outra coisa; e por tudo o que ganha, você perde alguma coisa. Se as riquezas aumentam, aumentam os que fazem uso delas. Se aquele que colhe exagera na colheita, a natureza tira do homem o que põe em sua arca do tesouro, aumenta a propriedade, mas mata o dono. A natureza odeia monopólios e exceções. As ondas do mar não procuram seu nível mais alto a partir do mais baixo mais rapidamente do que as variações de condições tendem a se

igualar. Sempre vai haver o forte, o rico, o afortunado, substancialmente no mesmo terreno com todos os outros!

Quando meu ex-sócio perdeu de vista os ideais elevados, os objetivos e propósitos humanitários que me impulsionaram a editar a revista *Hill's Golden Rule*, e não conseguiu mais manter os princípios acima do dinheiro, não era mais movido pelo espírito de servir em vez do desejo de obter, sua mudança de atitude me forçou a desligar-me dele. Esse rompimento significava praticamente dois anos de trabalho perdidos; isso significa que novos contatos precisavam ser feitos, que novos assinantes deviam ser conquistados, que meu trabalho teria que ser feito novamente. No entanto, apenas três curtos meses se passaram desde que decidi dar o passo que anunciava a todo mundo que eu defendia os princípios acima do dinheiro, a humanidade acima do indivíduo, e fui mais do que compensado por adotar essa posição pela tempestade devastadora de protestos que se abateu sobre meu ex-editor por parte daqueles que perceberam o que havia acontecido, e pela promessa de apoio a essa revista que me foi enviada por essas mesmas pessoas.

Considerando cada experiência que cataloguei e cada observação que fiz em relação a outros, devo dizer com franqueza e ousadia que, onde o princípio impede o ganho pecuniário, há apenas uma coisa a se fazer, e é defender o princípio; onde a causa do indivíduo está em conflito com a causa da humanidade como um todo, apoie a causa da humanidade! Todos os que assim se afirmarem com coragem terão que se sacrificar temporariamente, mas tão certo quanto o sol

Que trabalho é maior que ajudar as pessoas a tecerem os fios esgarçados dos fracassos, erros e dores de cabeça em uma bela vestimenta que cobrirá seus esforços em um sucesso final.

nasce no leste e se põe no oeste, a justa recompensa virá para eles mais adiante, quando a lei da compensação começar a agir em seus negócios.

Uma das melhores maneiras de ensinar a uma criança que uma cafeteira quente queima é explicando, nos mínimos detalhes, que superfícies quentes sempre queimam, depois virar as costas e deixar a criança fazer algumas experiências com os dedos. Certamente haverá uma lição. Algumas pessoas, "crianças crescidas", aprendem da mesma maneira.

LIÇÃO 12

A Regra de Ouro como senha para toda realização

Este artigo tomou forma na mente do editor enquanto ele ouvia um cientista muito prático, e cativou sua atenção de tal forma, que não deu descanso até que ele o colocasse no papel. Ele pode trazer para você a senha de acesso para a realização e compreensão que você tem buscado por toda a sua vida.

Ontem um homem muito culto me entreteve na hora do almoço. Passei mais de duas horas ouvindo sua filosofia de vida.

Esse homem é um cientista de reputação internacional.

Ele fez duas declarações, no entanto, que entravam em conflito direto uma com a outra. Primeiro, ele disse que não havia panaceia para os males atuais do mundo.

Depois ele me contou a história da estrutura do corpo humano, de seu interessante crescimento a partir de uma única célula minúscula. Ele traçou a história das células que compõem o corpo humano e me mostrou como milhões e milhões dessas minúsculas criaturas cooperam para manter o corpo vivo e saudável, em conformidade com uma lei invariável.

Foi uma história interessante. Esse erudito cientista a contou com suas ilustrações gráficas e comparações. Em seu clímax, ele fez uma declaração que fez com que este artigo começasse a se formar em minha mente. Disse que o corpo humano nunca morreria, não fosse pelo fato de algumas células do corpo abandonarem essa prática de cooperar com as outras células. Ele disse que, enquanto houver completa harmonia entre os vários grupos de células que constituem o corpo humano, enquanto cada grupo realizar o trabalho que deve realizar, haverá saúde perfeita em todo o corpo humano.

Durante todo o tempo, eu tentava harmonizar sua declaração de que não havia panaceia para os males do mundo presente com a de que o corpo humano viveria para sempre, se todas as pequenas células que constituem o corpo continuassem a cooperar em harmonia.

Mentalmente, pude ver um princípio subjacente que afeta não apenas os vários grupos de células do corpo humano, mas toda a raça humana. Esse homem de ciência inconscientemente fez minha mente começar a trabalhar em linhas inteiramente novas para ela, e antes de me despedir dele, cheguei a essa conclusão, uma conclusão que transmito a você com a sensação de que a simples analogia que fiz pode permitir que você veja o que eu vi ao ouvir meu anfitrião falar de um princípio que é tão imutável quanto a própria lei da gravidade: existe uma panaceia para os males do mundo, e essa panaceia é nada mais nada menos do que o princípio que assegura a saúde perfeita no corpo humano, desde que as células que constituem o corpo estejam funcionando em harmonia, e garante morte quando uma parte dessas células deixa de cooperar e funcionar normalmente.

Espero não estar lidando com termos muito abstratos para transmitir o significado exato do que digo. Para me fazer entender mais claramente, farei aqui a mesma comparação que fiz para mim enquanto esse homem falava.

Eu vi, em minha imaginação, toda a raça humana, cada ser humano vivo na Terra, todos reunidos em um ponto e em uma posição que formava o contorno perfeito de um ser humano. À distância, essa massa fervilhante de humanidade se pareceria com um enorme ser humano. Eu podia ver saúde, sucesso e prosperidade para toda a massa, desde que não houvesse discórdia ou mal-entendido entre os indivíduos que constituíam o todo. Eu podia ver alguns dos seres humanos arando a terra enquanto outros estavam semeando e se preparando para produzir alimentos. Eu podia ver alguns dos indivíduos daquela enorme reunião trabalhando com roupas. Eu ainda veria outros entretendo a massa com música e fazendo com que cada indivíduo ficasse feliz e contente.

A harmonia perfeita prevalecia nessa imagem imaginária.

Cada indivíduo tinha abundância para comer e vestir. Todos estavam felizes e contentes. Tristeza e pesar não se faziam presentes.

Então, com uma mudança repentina na imaginação, vi a imagem de outro ângulo, um ângulo que é comparável à história das células humanas que o cientista me contou. Descendo em direção ao fundo dessa grande massa de seres humanos, em um ponto que corresponderia a um dos pés do gigante imaginário, vi dois pequeninos seres humanos começarem uma discussão. Eles começaram a brigar. Outros seres humanos começaram a se aproximar e se juntar à discussão. Em pouco tempo, um dos pés inteiros do gigante imaginário havia interrompido suas atividades regulares, e as "células humanas" de que o pé era composto lutavam entre si. Eles não cooperavam mais. Não funcionavam mais normalmente.

Logo, todo o corpo começou a sentir a perda de um dos pés. Estava aleijado. Tentou andar, mas não conseguia se mover. Outras partes do corpo começaram a sofrer. O corpo, como um todo, passou a sofrer de fome porque a perda do pé o impedia de produzir alimentos.

Lentamente, aquele corpo enorme começou a murchar e entrar em decomposição. Não pude deixar de compará-lo ao corpo humano individual que murcha, entra em decomposição e, finalmente, morre quando qualquer grupo de células deixa de realizar seu trabalho normal.

Há um remédio que muitas vezes é aplicado com resultados bem-sucedidos quando as células individuais do corpo humano começam a "relaxar o trabalho", e esse remédio é restabelecer a harmonia e a cooperação entre as células para que elas funcionem normalmente outra vez.

Esse mesmo remédio é aquele, provavelmente o único, que salvará a raça humana e a trará de volta à vida normal, saudável e construtiva.

O mesmo princípio que faz com que as minúsculas células do corpo humano funcionem e cooperem em paz e harmonia, enquanto o indivíduo desfruta de um corpo humano saudável e feliz, aplica-se com igual precisão a toda a raça humana.

Aquilo que afeta um único ser humano afeta também, em certa medida, a vizinhança em que ele vive; e o que afeta toda uma vizinhança afeta, em certa medida, o mundo inteiro. Aquilo que traz tristeza, sofrimento e fome a uma família pode não ser sentido, diretamente, em outra família, mas você pode ter certeza de que uma mudança realmente ocorre.

A última guerra mundial ensinou à raça humana a tolice de acreditar que uma nação ou grupo de pessoas pode sofrer sem que seu sofrimento afete o mundo inteiro. Todos nós estamos pagando o preço da guerra, não importa qual país pareça ter vencido ou perdido.

Um sábio filósofo disse que não podemos acusar toda uma raça. Mas pode ser demais esperar que um homem seja um bom filósofo e também um bem-sucedido fabricante de automóveis.

Não só estamos todos pagando agora, como criamos uma dívida que sobrecarregará as gerações que virão. Quando a falta de harmonia atinge a raça humana, todos nós sofremos da mesma forma que o corpo humano sofre quando um pequeno grupo de células deixa de cooperar em harmonia.

Eram essas as comparações!

Agora vamos voltar ao remédio – à causa que produzirá paz, harmonia e sucesso entre os vários grupos de "células humanas" que constituem a família humana nesta Terra.

Esse remédio foi descoberto. Não é um remédio novo, mas é seguro. Não é nada mais nada menos do que a filosofia da Regra de Ouro.

É uma pena que as faculdades de medicina, de direito, de engenharia mecânica e todas as outras escolas não tenham dedicado parte de seu currículo a ensinar a seus alunos a necessidade de prosseguir com sua vocação segundo o princípio da Regra de Ouro. Que perda a raça humana sofreu por ter sido ensinada a considerar a filosofia da Regra de Ouro como uma mera teoria, em vez de vê-la como um princípio prático e viável que afeta favoravelmente a todos que a entendem e aplicam nos negócios, finanças, indústria e economia.

Cada médico praticante, cada quiroprático, cada osteopata e todos os outros curadores na Terra deveriam aprender a absoluta necessidade de recomendar a Regra de Ouro, em quantidades abundantes, com seus outros remédios para doenças do corpo humano.

E todo advogado deveria aprender, enquanto aprende sua profissão, a resolver todos os casos fora do tribunal sob o princípio da Regra de Ouro, sempre que possível. Deveria ter sido encarado como um princípio estabelecido, e assim ensinado em todas as faculdades de direito do mundo, que qualquer advogado que deixasse de se esforçar para mostrar aos seus clientes a vantagem de resolver suas queixas sob o princípio da Regra de Ouro seria imediatamente classificado como um "charlatão".

E todo professor de faculdade de administração na Terra deveria ter sido treinado para ensinar seus alunos a aplicar a Regra de Ouro em todas as relações comerciais; quem deixasse de fazer isso encontraria fracasso e reprovação no mundo dos negócios.

É lamentável que a raça humana ainda permaneça em relativa ignorância sobre as possibilidades da filosofia simples da Regra de Ouro como base para todos os negócios. O mundo nunca aceitou essa filosofia, exceto em teoria, mas ela é inquestionavelmente a panaceia para os males do mundo, dos menores aos maiores.

Antes de começar este artigo, examinei as páginas do meu jornal diário e meus olhos se depararam com a seguinte notícia:

Cão em "detenção" é absolvido ao lamber mão de menino

> O juiz Daniel Mickey de Evanston deu um veredicto de absolvição no caso de Spug, um cachorro preto de pedigree desconhecido, acusado de crimes graves contra a pessoa de Arnold Martin, de 12 anos. Ele o mordeu.
>
> Arnold, filho de John C. Martin, rua Tenth, 921, Evanston, jogou um jornal na varanda de C. F. Hess, avenida Gregory, 1335. Quando ele ia afastar a mão, tinha algo pendurado nela: Spug.
>
> O menino contou ao pai, depois de ter ficado na frente da casa dos Hess e contado ao mundo. A polícia levou Spug para a delegacia e foi emitido um mandado contra o Sr. Hess.
>
> No tribunal, o Sr. Martin estava furioso. O Sr. Hess ficou indignado. Arnold Martin estava cedendo; Spug abanava o rabo.
>
> Arnold Martin acariciou Spug sem pensar, e o cachorro pulou em seu colo e começou a lamber seu rosto e suas mãos

freneticamente. O menino riu, se defendendo, o Sr. Martin riu, o Sr. Hess deixou uma lágrima correr pelo rosto, e o caso foi resolvido.

"Caso encerrado", disse a corte.

Espero que vejam nessa notícia o que este escritor viu quando a leu, porque ela incorpora todo o princípio da Regra de Ouro e mostra com exatidão como esse princípio funciona quando devidamente aplicado.

Aquele pequeno animal tolo que chamamos de cachorro, consciente ou inconscientemente, acionou o poder que governa este universo, mantém as estrelas em seus lugares, determina o destino dos homens nesta Terra e controla todos os átomos de matéria em todo o universo.

Leia o parágrafo anterior novamente, porque ele contém uma declaração ampla que, se verdadeira, fornecerá a pista que lhe ajudará a resolver seus problemas e a servir à raça humana de maneira vantajosa.

O cachorrinho salvou a própria vida - salvou-a aplicando o princípio subjacente à Regra de Ouro. Quanto tempo, oh, Deus! Quanto tempo até que nós, filhos da raça humana, aprendamos a aplicar esse princípio da Regra de Ouro com tanta inteligência quanto esse cachorrinho o aplicou? Por quanto tempo teremos que continuar sofrendo, destruindo uns aos outros e ajudando a eliminar a raça humana por meio da inveja, do ódio, do ciúme e da ganância? Por quanto tempo teremos que continuar sofrendo e passando a causa de nosso sofrimento para nossos descendentes, antes de despertarmos para a compreensão de que a simples injunção estabelecida na Regra de Ouro nos trará paz e felicidade nesta Terra?

Judeus e gentios, católicos e protestantes, todos são irmãos – e não vemos razão para incitá-los a contendas por causa de raça ou religião.

Nunca houve uma guerra, nem um problema de trabalho, nem um mal-entendido entre dois seres humanos que não pudesse ser evitado por meio da compreensão e aplicação adequadas da filosofia da Regra de Ouro.

A maioria de nós quer fazer outro membro ou outros membros da raça fazerem o que queremos que eles façam. Passamos noites acordados tentando pensar em esquemas por meio dos quais possamos fazer com que outra pessoa faça o que queremos que ela faça. Nós sabemos exatamente como poderíamos ganhar um milhão de dólares, ou construir um grande negócio, ou reduzir o custo de vida, ou prestar à humanidade algum outro grande serviço se – e que eterno "se" é este:

"Se" pudéssemos levar as pessoas a fazer o que queremos que façam!

Aparentemente, nunca ocorreu à maioria das pessoas que existe um método infalível pelo qual podemos convencer os outros a fazerem o que queremos que façam. Aparentemente, nunca ocorreu às pessoas que é possível fazer os outros agirem como desejamos, apenas agindo dessa forma em relação a eles primeiro e mantendo essa atitude até que respondam!

Você entende o significado pleno do que acabou de ler?

Se entende, parabéns, porque nunca mais reclamará que alguém deixou de fazer o que você queria que fizesse. Você saberá como obter o que deseja, dando antes essa mesma coisa a algum outro membro ou grupo de membros da raça humana.

Além disso, você nunca mais será acusado de colocar em movimento uma causa que trará sofrimento, tristeza, fome e privação a qualquer membro da raça humana, porque saberá de antemão que esse mesmo resultado acabará voltando para amaldiçoá-lo.

Se entender o significado completo do que foi dito, você nunca mais colocará outra pessoa em nenhuma situação em que você mesmo não se sentiria feliz por tomar o lugar dela e deixá-la tomar o seu.

Se você entender e acreditar no princípio que acabamos de delinear, que não é nada mais, nada menos que a filosofia da Regra de Ouro conforme se aplica na vida prática cotidiana, nunca permitirá que um de seus filhos cresça sem compreender e aprender completamente as vantagens de aplicar esse princípio.

Essa mensagem, compreendo perfeitamente, não é para toda a raça humana; é apenas para aqueles raros indivíduos que evoluíram para aquele estado de compreensão no qual podem verificar, pela própria experiência, e fazer comparações que provarão tudo o que eu disse. É principalmente para aqueles que tentaram e falharam repetidamente, até que agora estão prontos para parar e se perguntar o motivo pelo qual falharam.

Você pode testar a si mesmo, antes de deixar de lado este livro, em relação a quanto a evolução fez por você. Se você se der por satisfeito por passar por essa reflexão sem decidir, com aquela determinação implacável que não conhece derrota, colocar essa filosofia da Regra de Ouro em ação como parte de sua própria filosofia, vai precisar sofrer e falhar e passar por mais dor e reveses, porque você não é um daqueles raros seres humanos que aprendeu que existe uma causa para cada efeito!

Ainda há outro pensamento que gostaria de deixar com você, e é este:

Aprendemos mais sobre um princípio no momento em que tentamos ensiná-lo a outra pessoa; portanto, não fique satisfeito com sua própria compreensão desse princípio da Regra de Ouro. Vá para as estradas e caminhos da vida, para as lojas e fábricas, e comece a explicar isso aos outros. Quanto mais você tentar explicá-lo, mais você descobrirá sobre ele, até que finalmente alcançará aquele raro grau de maestria que lhe capacitará a ver que salvar a raça humana da destruição final depende de a raça aprender a poder por trás da Regra de Ouro e aplicá-lo para a preservação da raça.

Quem pode lucrar mais com a aplicação universal da Regra de Ouro? Como qualquer indivíduo pode lucrar aplicando a Regra de Ouro em todos os relacionamentos com outras pessoas?

Essas são perguntas pertinentes que devemos nos fazer e cujas respostas nunca devemos parar de buscar. O homem que ganha o sustento em pagamentos diários, e que tem dificuldade para produzir com as mãos o suficiente para alimentar e vestir o corpo, acha difícil aceitar a filosofia da Regra de Ouro como aplicável a ele. Por toda parte, ele vê o que lhe parece injustiça e conspiração contra ele. Acredita que recebe muito pouco pela quantidade de trabalho que faz. Ao seu redor, ele vê outras pessoas vivendo em circunstâncias melhores. O destino parece ter sido injusto com ele.

Agora, por favor, acompanhe com atenção, porque é neste ponto que milhões de pessoas estão cometendo um erro fundamental que as separa daquela rica herança de felicidade e sucesso que poderia ser delas, se entendessem e aplicassem um princípio fundamental simples, e esse princípio é a Regra de Ouro.

Essas pessoas que veem a injustiça da vida que as condenou ao trabalho, à luta, à infelicidade, à dor e à pobreza sentem profundamente a dor dessa injustiça, ou daquilo que elas acreditam ser injustiça. Sentindo-se assim, refletem esses sentimentos no rosto, em cada movimento do corpo e em cada ato para com seus semelhantes! Inconscientemente, comportando-se dessa maneira, causam aos outros a impressão de que têm uma disposição "enraizada" que é inibitória e repulsiva para os outros. Como resultado dessa impressão, não têm amigos íntimos ou associados reais. Ninguém se dá ao trabalho de colocar oportunidades em seu caminho. Outros se mantêm o mais distante possível delas. Enquanto condenam interiormente seus empregadores ou o público a quem devem servir e agradar, os empregadores ou o público procuram maneiras e meios de dispensar seus serviços por causa de sua atitude desagradável em relação à vida.

Lembre-se disto: existem apenas dois tipos de forças neste universo. Uma atrai e a outra repele! Você é uma força e pertence a uma ou outra dessas classificações. Você atrai pessoas ou as repele. E lembre-se também de que todos que você atrai estão em harmonia com sua atitude perante a vida. É por isso que você os atrai. Os semelhantes se atraem. Homens ricos e bem-sucedidos são atraídos uns pelos outros. Mendigos e miseráveis são atraídos uns pelos outros. Esse princípio se aplica a cada átomo, molécula e elétron em todo o universo.

Trabalhar para garantir o pagamento por um dia de esforço não é observar a Regra de Ouro. Pensar em si mesmo e nos seus e esquecer seu dever com a vizinhança, os colegas de trabalho ou seus associados não é observar a Regra de Ouro. Permitir que outra pessoa lhe preste um serviço pelo qual você não paga o suficiente não é observar a Regra de Ouro.

Verifique seu comportamento e veja se está cometendo algum desses erros fundamentais e, se estiver, começará a entender a razão de sua condição de vida infeliz e miserável. Ou seja, você descobrirá a razão de sua "falta de sorte" na vida, a menos que seja um daqueles seres humanos peculiares que se recusam absolutamente a enfrentar qualquer condição que mostre seu verdadeiro eu.

Você pode mudar a atitude dos outros em relação a você mudando primeiro a sua atitude em relação aos outros!

Por favor, leia a frase anterior novamente. Vale a pena.

Este escritor deve fazer uma confissão antes de encerrar, e é esta: ele sabe que este princípio funcionará porque o experimentou. Você nunca saberá se funcionará ou não até experimentá-lo. Esta lição poderia muito bem nunca ter sido escrita, no que lhe diz respeito, a menos que você experimente o princípio fundamental de que trata. Pode muito bem não haver lei como a incorporada na Regra de Ouro, no que diz respeito a você, a menos que a aplique em seus relacionamentos com seus companheiros de jornada aqui na Terra.

Não importa o que os outros estão fazendo, ou se estão ou não aplicando a Regra de Ouro. Esqueça as injustiças e os erros do mundo. Não se importe com aqueles que deixam de aplicar a Regra de Ouro ao lidar com você. Seu trabalho é dominar a si mesmo e direcionar seus esforços na direção que deseja que eles sigam. Se os outros decidirem continuar a violar a Regra de Ouro, isso é uma pena, mas não lhe desculpará se você fizer o mesmo.

Esse é um pensamento que gostaria de transmitir às mentes do trabalho organizado, não como uma reprimenda aos trabalhadores do mundo, mas como uma sugestão construtiva e útil que pode mostrar o caminho para a solução final de seu problema. Eu gostaria de ter o poder de impressionar clara e definitivamente as mentes dos trabalhadores do mundo com a verdade fundamental de que eles não podem ter sucesso cometendo o mesmo erro e repetindo os mesmos enganos que acusam o capital de cometer.

Agir assim não é aplicar a Regra de Ouro!

Nenhum ser humano ou grupo de seres humanos pode alcançar o sucesso permanente, a menos que esse sucesso seja construído sobre fundamentos sólidos. Um ponto de vantagem temporário pode ser alcançado por meios injustos e sem observar a Regra de Ouro, mas sempre há alguma circunstância niveladora, algum processo de nivelamento que eliminará a base de todos aqueles que obtiverem dessa forma vantagem temporária.

Antes de encerrar, desejo deixar com você este pensamento final: a religião ou filosofia meramente passiva tem pouco valor para o indivíduo. Para se beneficiar com a filosofia da Regra de Ouro, você deve fazer mais do que entendê-la - você deve aplicá-la. Você deve falar sobre isso com os outros. Você deve ensinar aos outros a vantagem de aplicá-la. Para se beneficiar mais com a Regra de Ouro, você deve obter reconhecimento na vizinhança, no local de trabalho ou em sua empresa como uma pessoa que acredita e aplica a Regra de Ouro em todas as relações humanas.

Se você entende o poder por trás da filosofia da Regra de Ouro, pode se apropriar desse poder o suficiente, dentro dos próximos doze meses, para atrair toda a felicidade que deseja. Você pode fazer essa filosofia trazer riqueza e sucesso material. Pode fazer com que isso lhe ajude a transformar inimigos em amigos. Você pode fazer com que isso lhe ajude a obter maior sucesso na prática da lei, medicina, engenharia ou comércio. Você pode fazer com que isso lhe ajude a ganhar mais com uma picareta e uma pá, se ganhar a vida com esses instrumentos de trabalho.

Mas você não pode fazer nenhuma dessas coisas a menos que realmente viva em harmonia com a Regra de Ouro. Apenas acreditar no princípio não é suficiente. Quase todo mundo acredita nisso, sem dúvida, mas o problema que milhões estão causando é que são meramente passivos em relação a esse princípio. Para se beneficiar com isso, eles devem se tornar ativos no uso do princípio. As bênçãos que advêm da aplicação da Regra de Ouro não podem ser conquistadas de nenhuma outra forma, exceto pelo uso. Acreditar na Regra de Ouro e pregá-la aos outros tem pouco ou nenhum peso, a menos que você realmente a demonstre em todas as transações com seus semelhantes.

Este escritor teve seu primeiro vislumbre das possibilidades reais por trás da filosofia da Regra de Ouro quando descobriu que ela é um meio rápido de alcançar um objetivo na vida. Meça a Regra de Ouro pelo padrão frio da economia, e verá que seu uso é sempre conveniente. Em dólares e centavos, a Regra de Ouro paga dividendos consideráveis, e é assim e por isso que ela paga:

Cada pessoa tem o que chamamos de "reputação". Pode ser boa, média ou ruim, mas seja qual for, ela representa as transações acumuladas que você teve com outras pessoas. Uma transação desonesta ou obscura pode fazer apenas uma pequena diferença em sua vida, se for seguida por uma longa série de negociações diretas. As pessoas passam a conhecê-lo pela preponderância de sua tendência à honestidade ou desonestidade.

Quando você deliberadamente estabelece um padrão pelo qual se orienta em todas as transações com os outros, e esse padrão é a Regra de Ouro, gradualmente constrói uma reputação que ganha a confiança, boa vontade e cooperação ativa de todos com quem você entra em contato.

Isso está em conformidade com a lei da atração, uma lei que você deliberadamente coloca em movimento a seu favor quando lida com pessoas seguindo as diretrizes da Regra de Ouro.

Inverta o princípio e construa sua reputação a partir de transações "duvidosas", mesmo que nenhuma transação seja de grande importância e, aos poucos, a "experiência acumulada" das pessoas que lhe conhecem, que constitui a sua reputação, minará a confiança delas em você e lhe reduzirá ao fracasso certo.

Não há como escapar dessa lei.

Por último, e talvez mais importante do que os outros princípios mencionados, se você entender o princípio da autossugestão, saberá o efeito que cada transação tem em sua mente. Se enche sua mente subconsciente com o fato inegável de que está lidando com outras pessoas sempre na base da Regra de Ouro, você logo desenvolverá um respeito tão saudável por si mesmo e uma autoconfiança tão poderosa, que nada no mundo pode lhe impedir de alcançar seus desejos na vida.

Uma consciência da Regra de Ouro, bem desenvolvida em sua mente, dará a você o poder de alcançar as alturas da realização em qualquer trabalho que possa ter escolhido, e ninguém tentará impedi-lo.